Jürgen Becker
Auferstehung der Toten im Urchristentum

Stuttgarter Bibelstudien   82

herausgegeben von Herbert Haag, Rudolf Kilian
und Wilhelm Pesch

Jürgen Becker

Auferstehung der Toten
im Urchristentum

KBW Verlag Stuttgart

ISBN 3-460-03821-7
Alle Rechte vorbehalten
© 1976 Verlag Katholisches Bibelwerk GmbH, Stuttgart
Lektorat: Josef Metzinger
Umschlag: Hans Burkardt
Gesamtherstellung: Buch- und Offsetdruckerei Georg Riederer, Stuttgart

Vorwort

In den letzten Jahren ist an mich mehrfach im Zusammenhang von studentischen Wünschen zu Seminarthemen und im Rahmen der Lehrer-Fort- und Weiterbildung die Aufforderung herangetragen worden, die neutestamentliche Auferstehungsproblematik, und zwar die der Auferstehung Jesu wie die der allgemeinen Hoffnung auf Auferstehung der Toten, zu behandeln. Parallel dazu lief mein eigenes Forschungsinteresse, theologiegeschichtliche Grundfragen des Urchristentums aufzuhellen. Aus dieser Situation heraus faßte ich den Entschluß, die vorliegende Studie zu entwerfen. Sie blendet absichtlich das Thema der Auferstehung Jesu aus. Über seine Problematik ist in den letzten Jahren viel gestritten worden. Etwas abseits des Interesses standen jedoch Untersuchungen zur allgemeinen Hoffnung auf Auferstehung der Toten. Unbeschadet der Gewichtigkeit des Problems der Auferstehung Jesu sind gerade bei diesem allgemeineren Thema noch viele Fragen offen.

Besonders desillusionierend erscheinen mir ferner in der gegenwärtigen Verkündigung der Kirche über diese berufsbezogene Erfahrung hinaus die Predigten am Grabe und zu entsprechenden Anlässen im Kirchenjahr. Die zweifelsfrei vielschichtigen Ursachen der hier auftretenden Ratlosigkeit sind unter anderem als Hintergrund zu sehen, warum Studenten den neutestamentlichen Fachvertreter um entsprechende Seminarthemen bitten. Jedenfalls kann die neutestamentliche Forschung zu ihrem Teil dadurch zur Aufarbeitung der Problemlage helfen, daß sie in das in der Tat auf den ersten Blick diffuse Material des Neuen Testaments theologiegeschichtliche Ordnung bringt. Es mag sein, daß dadurch die Predigt über die Texte zunächst schwerer wird. Jedoch verschüttet andererseits die wahllose Verwendung des traditionellen hier einschlägigen Zitatenschatzes der Bibel das Verstehen, so daß der schwerere Weg den Vorzug verdient.

Für die Aufnahme in die Stuttgarter Bibelstudien danke ich Herrn Kollegen W. Pesch sehr herzlich.

Kiel, im November 1975   JÜRGEN BECKER

Herbert Siebold
zugeeignet

Inhalt

1. Zur Einführung

Eine theologiegeschichtliche Erörterung im Rahmen des Urchristentums hängt ganz wesentlich von der Frage ab, wie man die uns bekannte Korrespondenz des Paulus einschätzt. Die Zeit, in der man unbestritten die echten paulinischen Briefe als Material zu einer einheitlichen, nicht geschichtlichem Wandel unterworfenen Theologie des Paulus benutzte, scheint vorbei zu sein. Daß die paulinische Briefliteratur vielmehr einen sich in einigen Themen seiner Theologie wandelnden Heidenapostel erkennen läßt, der bei aller Treue zu bestimmten theologischen Grundtraditionen und Problemlösungen vom 1. Thessalonicherbrief bis zum Philipperbrief — um die Briefreihenfolge einmal so ungeschützt anzugeben — seine Anschauungen weiter entfaltete, zeigen jüngst namentlich Beiträge zu seiner Eschatologie.[1]

Dieses forschungsgeschichtlich neue Verhältnis zu Paulus hat grundlegende Bedeutung. Weitgehend war die Annahme einer einheitlichen, in sich geschlossenen paulinischen Theologie die Basis, von der aus man sonst von Jesus bis in die Zeit der dritten urchristlichen Generation historische Kritik übte. Ist es wirklich Zufall, daß bei einem radikal historisch-kritisch eingestellten Forscher wie R. Bultmann die Kritik an der Jesusüberlieferung bis zur letzten Konsequenz durchgeführt und auch sonst das Urchristentum einer konsequenten historischen Kritik unterzogen wurde, jedoch die paulinische Theologie wie ein Monolith eine Einheit blieb? Nun soll hier nicht in Abrede gestellt werden, daß es Grundzüge paulinischer Theologie gibt, die in der gesamten paulinischen Briefliteratur sichtbar werden. Aber erst das Eingehen auf Wandlungen in der paulinischen Theologie macht die Fragestellung zu einer wirklich historischen.

Notwendige Differenzierungen innerhalb der paulinischen Theologie können von verschiedenen Standorten aus Bedeutung gewinnen. Man kann im individuell-biographischen Horizont nach der Theologie der Einzelperson des Paulus fragen oder die urchrist-

---

[1] Vgl. dazu zur ersten Illustration: *Hunzinger*, Hoffnung 69ff; *Klein*, Naherwartung 241ff.

liche Geschichte insgesamt im Blick haben. Wir meinen: Erst dort, wo die theologischen Veränderungen innerhalb der paulinischen Theologie in die Zusammenhänge urchristlicher Geschichte gestellt werden, werden sie wirklich interpretierbar. Aber nicht nur dies: Erst wenn bei Paulus aufweisbare Veränderungen in seiner Konzeption Anlaß sind, diese innerhalb der Theologiegeschichte des Urchristentums zu reflektieren, wenn also die paulinischen Wandlungen Impulse freisetzen, die theologiegeschichtliche Erörterung urchristlicher Geschichte voranzutreiben, erst dann ist ein angemessenes Ziel im Auge. So wird Paulus Testfall für die theologiegeschichtliche Fragestellung überhaupt.

Angesichts der Quellenlage ist es verständlich, wenn ein theologiegeschichtlicher Durchblick zum Thema Auferstehung der Toten bei Paulus einen Schwerpunkt hat. Denn leider ist das für solche Untersuchung so konstitutive vorpaulinische Christentum nur aspektweise aufhellbar. Jedoch kann hier noch mehr geleistet werden, als man im allgemeinen bisher anzunehmen geneigt ist. So wird ein anderer Schwerpunkt der Untersuchung auf diesem Bereich liegen. Die Einsichten, die hier gewonnen werden, können grundlegende Gesichtspunkte freilegen für das Verständnis der urchristlichen Problematik der Auferstehung der Toten.

Trotz der Ergiebigkeit des paulinischen Materials kann mit seiner Erörterung die Darstellung des Urchristentums nicht enden. Wer gerade die Weichenstellungen in der Problementfaltung unseres Themas erfassen will — auf diesen Knoten der Geschichte, nicht auf der Mannigfaltigkeit der Details und Varianten liegt der Akzent der Untersuchung —, kann nicht umhin, den johanneischen Traditionsbereich in die Erörterung einzubeziehen. Warum anderes ausgelassen werden kann, wird die Darstellung hoffentlich deutlich machen können. Jedenfalls will sie den Anspruch erheben, alle grundlegenden Etappen in der Entwicklung des Urchristentums in historischer Reihenfolge vorzuführen. Dabei wird eine durchgehende Linie entstehen, die durch Kontinuität und Wandel zugleich bestimmt ist. An sie wird die Erwartung geknüpft, daß mit ihrer Hilfe eine Orientierung innerhalb der urchristlichen Geschichte in bezug auf das gestellte Thema gegeben wird.

2. Vorösterliche Traditionselemente

2.1. JOHANNES DER TÄUFER

Der Einstieg in die Problemerörterung muß meines Ermessens bei Johannes dem Täufer erfolgen. Da ich mich selbst zur Deutung des Täufers und seines Einflusses auf Jesus ausführlich geäußert habe,[1] kann eine ausholende Erörterung zugunsten thesenartiger Akzentuierung zurückgestellt werden. Johannes erfährt die Zukunft als *unmittelbare Nähe des kommenden Zorns* über ganz Israel (Lk 3,7-9.16f parr). Darum haben für den Täufer seine Zeitgenossen den Rekurs auf Abraham verspielt (Lk 3,8 par) und müssen in allernächster Nähe das Feuergericht über sich als Sünder erwarten. Ihr Lebensende ist der kommende Zorn, nicht ihr natürlicher, individueller Tod. Dieses Gericht wird »der Kommende« — offenbar der Menschensohn — vollziehen (Lk 3,16f par). Dabei denkt Johannes nicht im sogenannten Zwei-Äonenschema: Weltuntergang und Weltneuschöpfung sind keine Themen seiner Gerichtsbotschaft. Das Feuergericht trifft nicht den Kosmos, sondern die Sünder allein. Johannes thematisiert überhaupt nur das unmittelbar kommende Gericht des Menschensohnes und das Schicksal der Sünder, die vor ihm stehen und ihm zuhören. Die mögliche Rettung Getaufter ist vorsichtig angedeutet. Ihre erahnte Rettung besteht darin, daß sie vor dem Gerichtsfeuer bewahrt werden. Diese eventuelle Kontinuität des Fortlebens offenbart, daß das Gericht den Fortbestand der Schöpfung nicht tangiert. Wir kennen keine Täuferüberlieferung, die von der Zielgruppe der Hörer des Täufers absieht und über Gericht und Leben vergangener und zukünftiger Generationen nachdenkt. Da die Zeitgenossen unmittelbar das Gericht erleben werden — gerade ihnen gilt es ja —, ist die Auferstehung kein Problem des Täufers. Die für seine Hörer bedrängende Nähe des Kommenden — das ist sein Thema. Es ergibt sich also: Diese Generation erfährt ihr unnatürliches Ende durch den kommenden Zorn. Rettung vor ihm ist das noch allein denkbare Heilsziel. Solche Rettung wäre Bewahrung vor dem Zorn, also Fortleben am Zorn vorbei. Wer dem Zorn verfällt, wird hingegen für immer vergehen.

---

[1] *J. Becker*, Johannes.

2.2. Jesus von Nazareth

Die Gottesreichverkündigung Jesu setzt die (modifizierte) Gerichtsbotschaft des Täufers voraus. Auch Jesus tritt für die *unmittelbare Nähe des Gerichts* durch den Menschensohn ein (Lk 17,26ff; vgl. auch 13,1-5 u.a.m.). Das sündige Israel wird keine Zeit mehr zu leben und zu sterben haben, es wird das Gericht als unmittelbare, »unnatürliche« Lebensbegrenzung und Vernichtung erfahren. Also nicht der Tod des einzelnen, sondern der kommende Menschensohn und sein Gericht sind Inhalt der allernächsten Zukunft. Auch hier ist kein Platz mehr zur Thematisierung von Auferstehung. Ebenso gilt: Der Grundstock in Lk 17,22-37 par kennt keinen Weltuntergang und keine Neuschöpfung. Der Fortbestand dieser Welt ist vielmehr als Hintergrund anzunehmen.

Das *Zentrum* der Verkündigung Jesu ist nicht diese Gerichtsansage. Daß Gott seinem Gericht durch vergebende Güte dem Sünder gegenüber zuvorkommt und dieses *Heilsangebot* — motiviert nur durch Gott selbst — neue Gemeinschaft schafft, das ist der Kern der Ansage und des Vollzugs der Gottesherrschaft, die in den Exorzismen und der Jüngergemeinschaft sich schon ereignet und alsbald als endgültiger Heilszustand immerwährendes Präsens sein wird. Auch in diesem Zusammenhang ist die Auferstehung kein aktuelles oder notwendiges Thema. Die Sprüche vom »Eingehen in die Gottesherrschaft« (Mk 9,43-48 parr; 10,15.25 parr) reden nicht von einem Zugang zur Gottesherrschaft über Tod und Auferstehung, sondern von einem Eingehen der jetzt Lebenden in sie. Auch der Menschensohnspruch vom Bekennen und Verleugnen (Lk 12,8f) sieht keine Notwendigkeit, das Auferstehungsthema anzuschneiden. In Mt 8,11f = Lk 13,28f wird die Völkerwallfahrt aus allen Himmelsrichtungen in das Gottesreich von den lebenden Heiden vollzogen. Die Vorstellung der allgemeinen Auferstehung fehlt.[2] Wohl aber ist indirekt vorausgesetzt, daß die Erzväter als Partizipanten am Endreich, in dem sie bereits vor dem Hinzuströmen der Heiden zu-

---

[2] Das Streitgespräch mit den Sadduzäern in Mk 12,18-27 reflektiert spätere Gemeindediskussion, vgl. *Bultmann*, Geschichte 25. Aus diesem Grunde wird der sonst zum Thema einschlägige Text hier nicht behandelt.

gegen sind, einmal nach ihrem Tode eine immerwährende Lebensmöglichkeit bei Gott erhielten. So sicher ferner die topographische Unanschaulichkeit des (Gerichts- und) Heilsortes zu konstatieren ist, so gibt doch das Herbeiströmen der Heiden Anlaß, an die Erde und ihre Kontinuität zu denken. Umstritten sind endlich die Echtheit der Gerichtsworte in Lk 10,13-15 par und 11,31f par. In ihnen ist jeweils die Auferstehung früherer Generationen zum Gericht angedeutet. Auffällig bleibt dabei, daß in bezug auf das Geschick der Angeredeten Tod und Auferstehung nicht behandelt sind. Das eigentliche Interesse beider Sprüche richtet sich auch gar nicht auf die Auferstehung, vielmehr ist diese Vorstellung nur funktionales Mittel, um gestorbene Heidengruppen im Gericht gegenwärtig zu haben, damit so der Zweck verfolgt werden kann, das Gericht denen pointiert anzusagen, die Jesus jetzt ablehnten.

Das *Ergebnis* kann so zusammengefaßt werden: Unbeschadet der Möglichkeit, daß der Täufer und Jesus die im Judentum verbreitete, aber nicht von allen Gruppen vertretene Vorstellung von der Auferstehung der Toten kannten, eine Rolle spielt sie jedenfalls bei ihnen nicht. Unheil beziehungsweise Heil trifft die Lebenden (Naherwartung). Diese Endereignisse enthalten nicht das Motiv eines kosmischen Weltunterganges. Sie setzen den Bestand der Schöpfung voraus. Heil ereignet sich in Kontinuität mit dem jetzigen Leben vorbei am Untergang, der im kommenden Gericht allen Sündern droht.

3. Die ersten Anfänge des christlichen Bekenntnisses

3.1. DAS ÄLTESTE OSTERBEKENNTNIS

Mit dem Bekenntnis zur Auferstehung Jesu hat die nachösterliche Gemeinde in das Zentrum ihres Glaubens eine Aussage über die Auferstehung gestellt. Die älteste Gestalt dieser Aussage liegt in der *partizipialen Wendung* vor: »*(Gott), der Jesus/ihn von den Toten auferweckte*« (Röm 4,24b; 8,11; 2 Kor 4,14; Gal 1,1; Eph 1,20; Kol 2,12; 1 Petr 1,21).[1] Für diese Gottesprädikation sind folgende drei Elemente konstitutiv: Das als Satzsubjekt verwendete Partizip im Aorist von »auferwecken« mit bestimmtem Artikel. Es trifft eine Gottesaussage im exklusiven Sinn. Diese eine Bestimmung göttlichen Handelns beschreibt Gott so konkret, speziell und vollkommen, daß damit alles Nötige gesagt ist. Dieser auferweckende Gott handelt nicht an irgendwem, sondern — so das unmittelbar folgende zweite Element der Formel — an Jesus. Dabei zeigt dieses Akkusativobjekt zwar terminologische Variationsbreite, doch muß man das einfache »Jesus« beziehungsweise »ihn« darum jeder Titelprädikation vorziehen, weil die titulare Bezeichnung Jesu analog der allgemeinen urchristlichen Entwicklung der Christologie nicht das primäre Stadium darstellt und weil die Auferweckungsformel gar nicht »Christologie« betreibt, sondern eine Gottesprädikation ist. Das dritte Element »von den Toten« gibt an, welchem Bereich beziehungsweise welcher Modalität dieser Jesus durch Gottes auferweckendes Handeln enthoben wurde. Dabei darf der Gedankenkontext nicht vorschnell in der apokalyptischen Vorstellung von der allgemeinen Totenauferweckung gesucht werden, so wie es allzu oft geschieht. Zwar besteht kein Zweifel darüber, daß Christi Auferweckung wenig später als Anfang der allgemeinen Totenauferstehung gedeutet wurde (vgl. vor allem 1 Kor 15,20; Kol 1,18; 1 Petr 1,3; Offb 1,5; auch noch Apg 26,23), aber die Bedingungen, unter denen, und der Zeitpunkt, zu dem dies geschah, sind noch erst zu bestimmen. Vorerst ist festzuhalten, daß die Gottesprädikation ge-

---

[1] Diese Thesen zur Formel akzentuieren Ergebnisse aus meinem Aufsatz: Gottesbild.

rade nicht Christi Stellung im Zusammenhang allgemeiner Auferstehungshoffnung erörtert, sondern nur das Verhältnis Gott — Jesus entfaltet. Dies geschieht so, daß dabei die wesensmäßige Exzeptionalität, das Unerhörte und Einmalige der Auferweckung Jesu tonangebend ist. Die visionäre Erfahrung der Jünger, die durch die Auferstehungsvorstellung gedeutet wird, stellt vor die Auslegung des unerwarteten Geschicks Jesu, das ihn von allen anderen unterscheidet. In diesem Sinn wird Gott prädiziert als der, der durch sein an Jesus vollzogenes auferweckendes Handeln diesen als den, der im Namen Gottes auftrat und sich bevollmächtigt wußte, Gott neu auszulegen, und so unter anderem Jünger zur Nachfolge rief, aber am Kreuz gescheitert war, neu mit göttlicher Autorität versieht. Gott legitimiert also Jesu zunächst gescheitertes Werk[2] und begründet damit zugleich das Sendungsbewußtsein der übriggebliebenen Jünger. Diese ersten nachösterlichen Gemeindekreise standen noch in direkter Kontinuität zur Verkündigung Jesu. Sie lebten nicht nur in unmittelbarer Naherwartung, sondern hatten von Jesu Botschaft her auch gar nicht die Veranlassung, sofort über die Auferstehung aller am Ende der Tage nachzudenken. Außerdem kannte diese Gemeinde das Todesproblem noch gar nicht als Erfahrung anläßlich erster toter Christen, vielmehr erhoffte man, das unmittelbare nahe Gottesreich selbstverständlich als lebende Gemeinde zu erfahren. Gott hat Jesus auferweckt, das hieß also: Jesu Reichspredigt ist erneut von Gott begründet, die Jünger gesandt, diese weiter zu verkündigen, und diese Gemeinde selbst zugleich erneut in den Stand der Hoffnung gestellt, dieses Reiches Kommen alsbald zu erleben.

3.2. Maranatha

Damit war aber zugleich eine weitere Aufgabe gestellt, die dieser Gottesprädikation implizit innewohnte, nämlich Jesu Stellung als Auferstandener zu diesem Reich neu zu formulieren. Auch hierbei

---

[2] Zur religionsgeschichtlichen Problematik vgl. *Schmitt*, Entrückung. Das Material muß jedoch für die neutestamentliche Zeit erweitert und differenziert werden. Eine umfangreiche Materialsammlung — freilich unter anderen Aspekten — bietet *Friedrich*, Auferweckung 166ff.

konnte man an die Verkündigung Jesu anknüpfen, indem das baldige Kommen des Menschensohnes als Erwartungshorizont der Verkündigung Jesu aufgearbeitet wurde. Indiz ist der aramäische *Gebetsanruf: »Maranatha«*, das heißt »Unser Herr, komm!« (1 Kor 16,22; Offb 22,20). Er ist offenbar ältestes Zeichen für eine erste Funktionserweiterung der Glaubensaussage, wie sie sich in der eben erörterten Gottesprädikation findet. Dies ist der Weg von der Legitimation der Botschaft zur personalen Konkretion christlicher Hoffnung und darum zugleich Markstein für den Übergang von der indirekten zur direkten Christologie. Bezeichnenderweise handelt es sich dabei um die Menschensohnchristologie: Gott hat nun Jesus auferweckt, damit er als Erhöhter, dem die Anrede »Herr« gilt, die eschatologische Heilsgestalt, also der endgültige Heilsgarant für die Gemeinde sein kann. Hatten Johannes und Jesus mit der Menschensohngestalt und ihrem unmittelbar zu erwartenden Kommen die Gerichtsaussage konkretisiert, so kann die Gemeinde nun (im allgemeinen religionsgeschichtlichen Rahmen betrachtet) die in der jüdischen Menschensohntradition auch beheimatete Heilsfunktion dieser eschatologischen Gestalt aktualisieren und (im Blick auf ihre eigene spezielle Geschichte), eingedenk der ihr durch die Person Jesu widerfahrenen Heilszuwendung Gottes, mit dem Menschensohn Jesus ihre Hoffnung auf Heil aussprechen. So bleibt — wie bei Johannes und Jesus — das nahe Kommen des Menschensohnes Inhalt der Hoffnung. Dieses Kommen wird bedacht im Blick auf die positive Zukunft der Menschensohn-Gemeinde. Auch in diesem Fall interessiert ein allgemeines Weltgericht aller je gewesenen oder lebenden Menschen nicht, darum fehlt für die Aufnahme der Vorstellung einer Totenauferstehung jeder Anlaß. Dies gilt unbeschadet des Umstandes, daß auch die frühe Gemeinde aus ihrer Umwelt diese Vorstellung gekannt haben mag.[3] Abermals ist ferner Jesu

---

[3] Daß allerdings das Judentum zur Zeit Jesu und des frühen Urchristentums durchweg und generell in der Hoffnung auf allgemeine Totenauferstehung durch Gott lebte, sollte mit zurückhaltender Skepsis erörtert werden: Sadduzäer und Essener sind zumindest schon zwei namhafte Gegenbeispiele. Sicher belegt ist die Vorstellung wohl nur für die apokalyptischen Kreise und das Pharisäertum unter apokalyptischem Einfluß. Vgl. dazu auch die Beobachtungen von *Friedrich*, Auferweckung 166ff.

Auferstehung das Einmalige und Besondere; nur er allein wird auferweckt, das heißt erhöht, und damit zum Menschensohn eingesetzt. So bleibt die Auferstehung christologische Ausnahme und ist nicht genereller anthropologischer Analogiefall.

Als *Ergebnis* kann also festgehalten werden: Weder die unter 3.1. besprochene Gottesprädikation noch der 3.2. behandelte Gebetsruf Maranatha lassen den Horizont allgemeiner Totenauferweckung anklingen.

4. Das formelhafte Gut in Röm 1,3b-4

4.1. KONTEXT UND TRADITION

Weitgehend analog zu den Beobachtungen zur ältesten Menschen-sohnchristologie, von der soeben gesprochen wurde, scheint sich auch die *älteste messianologische Deutung des Auferstandenen* vollzogen zu haben. Sie verwendet den Titel »Sohn Gottes« im messianischen Sinn und begegnet in ihrer ältesten Form offenbar in dem vorpaulinischen Bekenntnis, wie es *Röm 1,3b-4* im Präskript des Römerbriefes verarbeitet wurde. Zwar sind die vielfältigen Erörterungen der Formel in jüngster Zeit zu keinem so eindeutigen Ergebnis wie beim Gebetsruf Maranatha gekommen, doch enthält die Formel ausdrücklich das Thema der Auferstehung der Toten und muß darum im Verfolg unserer Problemstellung wenigstens unter einigen Grundaspekten einer Erörterung zugeführt werden.

Ohne besondere Schwierigkeiten läßt sich zunächst der *vorpaulinische Charakter* der Formel bestimmen: Es fällt auf, daß Paulus hier den Inhalt des Evangeliums ohne Heilsbedeutung des Todes Jesu formuliert, was sich eindeutig disharmonisch zu seinem eigenen christologischen Ansatz verhält, für den die Heilsbedeutung des Todes Jesu konstitutiv ist. Jesu Herkunft aus dem »Samen Davids« hat weiter bei Paulus sonst nirgends ein Interesse gefunden. Singulär ist bei ihm auch das Verb, das die österliche Tat Gottes umschreibt (»einsetzen«), ungewöhnlich endlich auch die semitisierende Wendung vom »Geist der Heiligkeit«. Darüber hinaus zeigt der Text den für formelhaftes Gut typischen Partizipialstil und läßt durch die zweimalige Voranstellung der partizipial konstruierten Verben einen deutlichen Parallelismus erkennen.

Auch die *Abgrenzung* nach vorn und hinten darf noch mit einem breiten Konsens in der Forschung rechnen, da der Duktus der paulinischen Satzperiode hier eindeutige Hilfe gibt. Paulus charakterisiert das Evangelium, zu dem er ausgesondert ist, als:

> von seinem Sohn (handelnd),
>> der geworden ist aus dem Samen Davids dem Fleisch nach,
>> eingesetzt zum Sohne Gottes in Macht dem Geist der Heiligkeit nach aus/aufgrund der Auferstehung der Toten,
> von Jesus Christus (handelnd), unserem Herrn, durch den . . .

Er zeigt damit, wie er die letzte christologische Titulatur benutzt, um dort fortzufahren, wo er beim ersten Sohnestitel eine »Unterbrechung« einschaltete. Für die Wahl dieses ersten Gebrauchs des Sohnestitels sind dabei zwei Voraussetzungen für Paulus festzustellen. Für ihn gehört auch sonst der Titel in den Zusammenhang des Evangeliums und seiner Verkündigung (Röm 1,9; 1 Kor 1,9; 2 Kor 1,18f; Gal 1,15f), ein Tatbestand, der sich wirkungsgeschichtlich wahrscheinlich eben der Formel aus Röm 1,3b-4 verdankt, wie noch aufzuzeigen sein wird. Außerdem kennt Paulus den Titel »Sohn Gottes« unter anderem noch aus einem weiteren Zusammenhang, nämlich dem der »Sendeformeln« (vgl. Röm 8,3; Gal 4,4 usw.),[1] deren religionsgeschichtlicher Hintergrund im Unterschied zur davidisch-messianischen Herkunft desselben Titels in Röm 1,3b-4 der jüdisch-weisheitlichen Spekulation über die Sendung der Weisheit in die Welt entstammt.[2] Kennt die davidische Messiano-

---

[1] Vgl. dazu *Kramer*, Christos § 25-27. Die Einwände gegen die Existenz dieses formelhaften Gutes von *Wengst*, Lieder 59 Anm. 22, sind zwar für die Einzelanalyse nicht bedeutungslos, können aber die Grundthese von Kramer nicht erschüttern, weil Wengst keine plausible Erklärung für die gleichen Grundelemente des Materials anbieten kann, und darum die These formelhaften Gutes als solche von ihm nicht negiert werden sollte.

[2] Zum Titel »Sohn Gottes« bei Paulus vgl. *Blank*, Paulus 249ff; *Schweizer*, in: ThWNT VIII 367ff.376ff. Stichwortartig sei nur festgestellt, daß Paulus neben Röm 1,3b-4 und der Sendeformel folgende Zusammenhänge mit Sohn-Gottes-Titel kennt: Die Dahingabe des Sohnes Gottes (Röm 8,32; Gal 2,20; Röm 5,10), die futurische Retterfunktion des Sohnes Gottes vom Zorn (1 Thess 1,9f; vgl. Röm 5,10), die eschatologische Herrschaft des Sohnes (1 Kor 15,12ff), den Zusammenhang: Christus der Sohn Gottes — wir die erlösten/zu erlösenden Söhne (Röm 8; Gal 3,26 - 4,7) und endlich den Zusammenhang Evangelium — Verkündigung (Belege s. o.). Alle diese weiteren Möglichkeiten lassen sich in die Nachgeschichte der beiden religionsgeschichtlich selbständigen Haftpunkte Röm 1,3b-4 und der Sendeformel einordnen: 1 Thess 1,9f, der Zusammenhang »Evangelium« und 1 Kor 15 gehören, wie die noch ausstehende Besprechung der Stellen zeigen soll, in den Ausbau der durch Röm 1,3b-4 vertretenen Theologie. Die Dahingabe des Sohnes ist eine Variante der Dahingabeaussagen unter Rezeption von Gen 22,16, wobei die Sendeformeln wohl als christlicher Hintergrund dienten. Aus dem Taufzusammenhang kommt die Korrelation Sohn —

logie, wie sie für die neutestamentliche Zeit vorausgesetzt werden kann, die Präexistenz des Messias nicht, so lebt die Vorstellung von der Sendung der Weisheit gerade von der Präexistenz derselben. Eben diese Präexistenzaussage führt Paulus absichtsvoll in Röm 1,3a ein, weil sein christologischer Standort längst die Präexistenz Christi umschließt. Dieses christologische Interesse des Paulus kann aber umgekehrt nun in keiner Weise darüber hinwegtäuschen, daß die Formel in 1,3b-4 trotz des gleichlautenden Sohnestitels erst aufgrund der Auferstehung Jesus die Sohneswürde zuerkennt und vor dem Status der Erhöhung Jesus nur als »aus dem Samen Davids« kommend charakterisiert, damit aber eine Präexistenz ausschließt.

Auch die der Formel nachgeordnete Prädikation Christi »Jesus Christus, unser Herr« erweist sich als gut paulinisch angesichts von Belegen wie Röm 5,11.21; 6,23; 7,25; 8,39; 15,6 usw. Möglicherweise steht der Titel zudem unter dem Einfluß des nachstehenden Eingehens auf das Apostelamt.[3]

4.2. Traditionsgeschichtliche Erörterung

Komplizierter wird die nunmehr anstehende Erörterung der traditionsgeschichtlichen Schichtung der Formel. Sie hat sich bisher mit Recht vornehmlich auf *zwei Probleme* konzentriert: auf die Doppelwendung »nach dem Fleisch . . . nach dem Geist der Heiligkeit« und auf die präpositionale Bestimmung »in Macht«. Was nun zunächst die Doppelwendung betrifft, so sollte die im Neuen Testament singuläre Verbindung »Geist der Heiligkeit« (vgl. LXX Jes 63,10f; Ps 50,13 und TLev 18,11) nur zugleich gewürdigt werden mit der anderen Beobachtung, daß nämlich bisher nur Paulus Be-

---

Söhne. Sie lebt einmal von der Sendung des Sohnes Gottes (Röm 8,3; Gal 4,4!) und zum anderen von der Deutung, daß Geistbesitz — vermittelt durch die Taufe — die Partizipation am gesandten Sohn bedeutet. — Der jüngste Versuch zum Thema »Sohn Gottes« von *Hengel*, Sohn, läßt mich gerade in bezug auf die Deutung der oben genannten paulinischen Texte wegen allzu voreiliger Harmonisierungstendenz unbefriedigt.

[3] Vgl. *Kramer*, Christos § 13, auch § 20-21.

stimmungen wie »nach dem Fleisch« und »nach dem Geist« (ohne Zusätze) gebraucht. Also enthält der Text in seiner vorliegenden Gestalt eine Mischung aus unpaulinischer Genitivverbindung und paulinischer Präpositionalbestimmung. Danach liegt es nahe, »Geist der Heiligkeit« in jedem Fall dem vorpaulinischen Bestand zuzuweisen. Denn wenn man Paulus auch eine im Neuen Testament einmalige Verbindung wie »Geist der Heiligkeit« zutrauen kann, so wohl doch kaum dieses: daß er bei Bildung solcher Singularität zugleich noch einer für ihn typischen Formulierungsweise abschwört, nämlich statt »nach dem Fleisch« und »nach dem Geist« nun noch »nach dem Geist der Heiligkeit« zu formulieren.[4]

Von dieser Basis aus kann man in *doppelter Weise* weiter analysieren. Entweder man sucht für die dann syntaktischer Zuordnung ermangelnde Wendung »Geist der Heiligkeit« einen neuen Satzbezug (etwa: im Geist der Heiligkeit, oder: in der Macht des Geistes der Heiligkeit). Oder man setzt, daß prinzipiell vor Paulus sicher auch schon die Möglichkeit gegeben war, die präpositionale Doppelwendung zu bilden, und sieht in Röm 1,3b-4 darin einen — freilich bisher analogieloses — Beleg. Die zweite Möglichkeit geht mit dem Textbestand behutsamer um. Aber das Prinzip der Schonung kann letztlich nicht ausschlaggebend sein, ebensowenig wie die Bemerkung, »nach dem Fleisch« störe im ersten Glied nicht.[5] Sicherlich, aber das Analogon im zweiten Glied macht Probleme! Auch ist für »nach dem Fleisch« immer noch Röm 9,5 die nächste Parallele, weil Paulus hier die Wendung ebenfalls eindeutig Christus zuordnet. Auch ist es weiter wohl richtig, daß mit der Doppelwendung die beiden parallelen Sätze ihre Gliederung besonders deutlich auf der Stirn tragen.[6] Aber warum sollte Paulus nicht eine gute Parallelität noch einmal verbessert haben? Wenn man außerdem die

---

[4] Die umfangreiche Diskussion kennt folgende wichtige Vertreter: *Wegenast*, Verständnis 70ff (Überblick über Diskussionsstand); *Schweizer*, Röm 1,3f: 100ff; *ders.*, in: ThWNT VIII 364ff; *Linnemann*, Tradition 264ff (am Schluß mit einer Replik von E. Schweizer); *Blank*, Paulus 253ff; *Wengst*, Lieder 112f; *Schlier*, Röm 1,3f: 211ff; *Brandenburger*, Frieden 19ff.

[5] So *Käsemann*, Römer 8.

[6] So wiederum *Käsemann*, z. St.

beiden Sätze nicht allzu schematisch parallelisieren darf, so fällt doch auf, daß die zweite Zeile überladen ist. Dies liegt an den drei präpositionalen Bestimmungen (in . . . nach . . . aus . . .). Nun deuten die Befürworter der Doppelwendung als vorpaulinisch diese gern analog der Sphärenangabe in 1 Tim 3,16; 1 Petr 3,18; 4,6. »Nach dem Fleisch« — »nach dem Geist der Heiligkeit« soll dann heißen: in der Sphäre des Fleisches — in der Sphäre des Geistes der Heiligkeit.[7] Aber wenn man diese Möglichkeit auch nicht ganz a limine ausschließen will, so sollte doch zugestanden werden, daß sie das Merkmal der Ungewöhnlichkeit nicht ganz von sich abschütteln kann. Die lokale Bedeutung der verwendeten griechischen Präposition in diesem Zusammenhang ist wirklich nicht gesichert. Typischerweise steht an den ins Treffen geführten Stellen »in«. Auch die Näherbestimmung des Geistes — von ihm ist an den eben genannten Stellen immer ohne Zusatz die Rede — liegt dazu quer. Sie spricht mehr für eine »dynamistische« Akzentuierung als für eine »lokale« Qualifizierung der Geistaussage. Endlich sollte bei einer Zuweisung des Doppelelements an nur eine Hand — sei es an Paulus oder an die Stufe vor ihm — noch ausdrücklich die Singularität einer Begründung zugeführt werden, warum nur beim Geist, nicht auch beim Ausdruck »nach dem Fleisch« eine Näherbestimmung anzutreffen ist. Kurzum: Mir scheint die Hypothetik dann besser kalkulierbar, wenn man »Geist der Heiligkeit« und »nach dem Fleisch . . .nach . . .« zwei verschiedenen Stufen zuweist, also für die Doppelung der Wendung Paulus und für die Genitivverbindung die Tradition verantwortlich macht. Aber wohin gehört dann das zunächst syntaktisch in der Luft hängende »Geist der Heiligkeit«?

Diese Frage kann erst entschieden werden, wenn man die Beobachtungen zu dem Satzteil »in Macht« gesammelt hat.[8] Diese Aussage kann theoretisch dem Partizip zugeordnet werden (etwa so: eingesetzt . . . durch die Macht Gottes) oder dem Objekt der göttlichen Einsetzung (. . . zum Sohne Gottes in die Machtstellung als Herr-

---

[7] Dies ist der Interpretationsansatz bei *Schweizer*, Röm 1,3f, und seinen Nachfolgern.

[8] Vgl. dazu die typischen Argumente bei *Hahn*, Hoheitstitel 252f; *Burger*, Jesus 31f; *Wengst*, Lieder 113f; *Schlier*, Röm 1,3f: 209f.

scher). Läßt sich die erste Möglichkeit auch nicht ganz sicher ausschließen, so liegt doch die zweite wegen der Satzstellung des »in
Macht« direkt nach dem Sohn-Gottes-Titel näher. In diesem zweiten Fall läßt sich annehmen, Paulus sei diese Bestimmung zuzuweisen, weil er so die mit Ostern neu erreichte Funktion und Würde
des für ihn präexistenten Sohnes zum Ausdruck bringen wollte.
Aber diese sehr gut mögliche paulinische Auslegung exkludiert noch
nicht eine vorpaulinische Existenz der Wendung. Die Einsetzung
zum Sohne Gottes kann auf der vorpaulinischen Traditionsstufe
den naheliegenden Machtfaktor der Herrschaft beinhaltet haben.
Jedenfalls muß dies im Blick auf Ps 2; 110; PsSal 17 (usw.) als
selbstverständlich gelten.

Man kann nun noch einen Schritt weiter gehen. Nimmt man »in
Macht« für die vorpaulinische Stufe in Anspruch, läßt sich die Genitivverbindung »Geist der Heiligkeit« ihr anfügen: Der Sohn
herrscht dann »in der Macht des Geistes der Heiligkeit«[9] (vgl. dazu
Lk 4,14; Apg 1,8; Röm 15,13; PsSal 17,37, auch 18,7 u. ö.). Wer
eine — freilich denkbare — dreifache Genitivverbindung umgehen
möchte und auch den gesamten Satz noch immer für zu überlastet
halten will, kann Paulus das »in Macht« zuweisen und dann analog
»im Geist der Heiligkeit« konstruieren, um denselben Sinn zu erhalten. In beiden Fällen wäre der Geist das Mittel der Regentschaft des Sohnes Gottes.

Sind damit die beiden Hauptprobleme der traditionsgeschichtlichen
Schichtung innerhalb der Formel besprochen, so bedarf es noch
eines Blickes auf den *Schluß*, der betont das »aus der Auferstehung
von den Toten« angibt und in seltenen Fällen Paulus zugeschrieben
wird. Die Erörterung muß davon ausgehen, daß der Ausdruck
»Auferstehung der Toten« kein häufiges oder gar typisches paulinisches Begriffsmaterial ist. Paulus versteht darunter immer die Auferstehung aller am Ende der Tage und greift den Ausdruck überhaupt zuerst mit einem Schlagwort der Korinther (1 Kor 15,12f;
vgl. V. 42) und — davon abhängig oder auch schon der vorpaulinischen Adam-Christus-Typologie inhärent — ebenfalls 1 Kor 15,21
auf. Außer Phil 3,11 redet Paulus sonst verbal von der allgemeinen

---

[9] So der Vorschlag von *Linnemann*, Tradition 273f.

Totenauferweckung. Von Christi Auferstehung redet er noch zweimal (Röm 6,5; Phil 3,20) als von »seiner Auferstehung« — jeweils
wiederum in traditionellen Zusammenhängen. Das bedeutet in bezug auf Röm 1,4: Die Zuweisung zur Tradition liegt sehr nahe.
Diese Annahme verstärkt sich, bedenkt man, daß »Auferstehung
der Toten« sonst nie bei Paulus auf Christus bezogen ist, wobei
gerade in Röm 1,4 dieser Bezug allein gegeben ist. Da zudem der
Ausdruck am Schluß des Satzes gerade betont den Zeitpunkt, den
Umstand und den Grund für die Sohneswürde Jesu angibt,[10] ist
kein hinreichendes Argument vorhanden, paulinische Formulierung
vorauszusetzen, vielmehr spricht alles dafür, mit der Wendung die
alte Formel beendet sein zu lassen. Sie hat dann den unapokalypti-
schen Sinn wie in Hebr 11,35 und 1 Petr 3,21 oder die verbalen
Formulierungen in Mk 6,14; 9,9f; Lk 16,31; Joh 2,22; 12,1.9.17;
21,14. Damit entspricht sie zugleich der verbalen Aussage in der
ältesten Auferweckungsformel (vgl. oben 3.1.).
Dann fragt sich abschließend nur noch, ob sich über den *Anfang*
der Formel etwas ausmachen läßt. Jedenfalls kann die Formel in
keiner der möglicherweise zu rekonstruierenden Gestalten das Urteil der Vollständigkeit auf sich ziehen. Gern stellt man darum zum
Beispiel unter Verweis auf Röm 1,4 ein »Jesus Christus« vorweg.[11]
Aber dies ist ein schlechter Vorschlag. Erst mit Ostern macht die
Formel titulare Hoheitsaussagen über Jesus, darum würde ein Titel
wie Jesus Christus ebenso als Eingang stören wie das paulinische
»Sohn Gottes«. Geeignet ist also nur ein einfaches »Jesus«. Unter
diesem Gesichtspunkt liegt es dann nahe, etwa als Anfang anzunehmen: »Wir glauben an Jesus, der . . .«.[12] Dann ergibt sich als
rekonstruierte Vorlage:

> (Wir glauben an Jesus,)
>> geboren aus dem Samen Davids,
>> eingesetzt zum Sohn Gottes im (oder: in der Macht des) heiligen
>> Geist(es) aufgrund der Auferstehung von den Toten.

---

[10] Man wird für die griechische Präposition diesen umfassenden Sinn nicht
    eingrenzen dürfen.
[11] So zuletzt *Schlier*, Röm 1,3f: 208.
[12] So der Vorschlag von *Linnemann*, Tradition 274.

4.3. Theologiegeschichtliche Aspekte

Die theologiegeschichtliche Interpretation dieser rekonstruierten Formel setzt am besten bei der *Herkunftsaussage der ersten Zeile* ein. »Aus dem Samen Davids« ist weder schon so viel wie ein messianischer Hoheitstitel noch nur ganz im allgemeinen als Verweis auf Jesu jüdische Herkunft zu verstehen, sondern bedeutet auf dem Hintergrund jüdischer Messianologie Grundvoraussetzung für den davidischen Messias, nämlich seine genealogische Qualifikation, die für ihn conditio sine qua non ist. Daß man so zu deuten hat, ergibt sich zunächst aus der Formel selbst. Die Korrelation von dieser genealogischen Bestimmung und der österlichen Einsetzung zum Sohn Gottes läßt keine andere Wahlmöglichkeit, denn die christologische Besonderheit Jesu soll mit der Verweisung auf die Davidabkunft, mit der Einsetzung zum Sohn Gottes und der Regentschaft vermittels des heiligen Geistes als das ihn von allen anderen Menschen besonders Auszeichnende herausgehoben werden. Insoweit ist dieser Zusammenhang sodann auch religionsgeschichtlich vorgegeben. Schon in 2 Sam 7,12[13] nimmt die Nathanverheißung auf »den Samen« des angeredeten David Bezug, und auf diese später messianisch ausgelegte Verheißung wird dann oft mit ausdrücklichem Rekurs auf »den Samen Davids« angespielt (vgl. nur PsSal 17,4).[14] In dieser Tradition stehen endlich auch die christlichen Belege aus Apg 13,23; Joh 7,42; 2 Tim 2,8; IgnEph 18,2; Smyr 1,1.

Durch diese Auslegung ergibt sich zwangsläufig, daß das Partizip

---

[13] Der Versuch von O. *Betz*, Jesus 87ff, in Röm 1,3f unmittelbar eine Auslegung von 2 Sam 7,12-16 zu sehen, kann auch angesichts der freundschaftlichen thetischen Zustimmung von *Hengel*, Sohn 101, in keiner Weise überzeugen. Die Valuta der Begründung sind zu leicht und die Hypothetik zu forsch. Vgl. auch *Stuhlmacher*, Probleme 381 Anm. 21.

[14] Die Belege von *Berger*, Messiastradition 17 Anm. 62, für den Gebrauch von »Samen Davids« im allgemeinen Sinn der Volkszugehörigkeit entstammen z. T. gar nicht der unmittelbaren frühchristlichen Umwelt und sind sachlich darum unbrauchbar, weil Röm 1,3b-4 eben gerade nicht auf Allgemeines, sondern auf Exzeptionelles in bezug auf eine einzige Person abgehoben wird.

»geworden (aus dem Samen Davids)« nur formal in Analogie zu Gal 4,4; Phil 2,7f steht, da an diesen Stellen der Eintritt des Präexistenten in die Welt thematisiert wird, Röm 1,3 hingegen die »normal-natürliche« Herkunft aus dem genealogischen Zusammenhang der Davidfamilie artikuliert ist. Dem jüdischen Messias *ben David* eignet von Haus aus keine Präexistenz, weil sie sich gegen den konstitutiven genealogischen Gedanken sperrt.

Der *Gesamtsinn der ersten Zeile* der Formel entscheidet sich vornehmlich an der Auslegung des Verbs eingangs der zweiten Zeile. Beinhaltet dieses — wie neuerdings behauptet wird[15] — einen nachträglichen öffentlichen Aufweis längst vorher vorhandener, nur bisher verborgener Qualität, dann hat die erste Zeile selbst das Recht, als Bestandteil einer zweiteiligen Hoheitsaussage über den Irdischen verstanden zu werden. Aber dies geht nicht an: Im christlichen Bereich sprechen die Parallelen in Apg 10,42; 17,31 eine zu eindeutige Sprache, und die Grundbedeutung des Verbs sowie seine weitverbreitete Verwendung lassen gerade das Moment der Abtrennung und Sonderung als konstitutiv erscheinen, so daß wenige, dem urchristlichen Sprachbereich dazu noch fernstehende Belege im Sinne eines (nachträglichen) Aufweises die traditionelle Auslegung von Röm 1,4 nicht erschüttern können. Das Passivum divinum drückt aus: Gott hat Jesus zum Sohn Gottes inthronisiert.[16] Diese Deutung ergibt sich auch aus der religionsgeschichtlichen Perspektive (Ps 2,7) und hat endlich auch einen Anhalt in der Parallelität zum Verb der ersten Zeile, das gleichfalls ein Neues, nämlich die Geburt, ausspricht.

Bei dieser Deutung ist dann zwar im Unterschied zu den schon behandelten frühchristlichen Traditionsmaterialien und dem im Anschluß zu exegesierenden Predigtschema aus 1 Thess 1,9f im Zusammenhang der urchristlichen Bekenntnisbildung überhaupt *erstmalig* explizit der *Existenz des Irdischen* Erwähnung getan. Dies geschieht jedoch auf eine Weise, die — wie implizit bei der Gottesprädikation (vgl. 3.1.) und der ältesten Menschensohnchristologie — dem Irdischen keine Hoheit noch eine Heilsfunktion zuschreibt, ge-

---

[15] *Berger*, Messiastradition 17 Anm. 63.
[16] Vgl. dazu *Blank*, Paulus 252f.

schweige denn das Kreuz als Heilsereignis auslegt, sondern das Leben des Irdischen als Voraussetzung für sein nun geltendes Amt betrachtet. Diese Explikation irdischer Wirklichkeit Jesu geschieht nun bei der Aufnahme jüdischer Messias-*ben*-David-Erwartung nicht von ungefähr, denn hier hat ja gerade die Herkunft aus dem Geschlecht der Davididen eine nicht übergehbare Bedeutung. Ohne diese Herkunftsangabe gibt es keinen Messias *ben* David. Man muß jedoch dabei unmißverständlich festhalten: Das Bekenntnis blickt nicht zurück auf den Irdischen, um ihn zu rezipieren, sondern hinauf auf den Inthronisierten, um seine Bedeutung für die jetzige Gemeinde zu bestimmen.[17] Dabei muß in Konsequenz der Messianologie Jesus auch als Davidnachfahre charakterisiert werden. Darum sollte man auch den eher mißlichen Ausdruck »Zwei-Stufen-Christologie« zur Kennzeichnung der Formel besser nicht verwenden, sondern korrekter von einer messianischen Inthronisationsformel sprechen.[18]

Die Formel versteht also das Einsetzen durch Gott so, daß Jesus genau wie in den beiden ältesten Konzeptionen, die Ostern verarbeiten, passives Objekt göttlichen Handelns ist. Wie in der ältesten Menschensohnchristologie ist Jesu Auferweckung ferner als Erhöhungs- beziehungsweise Inthronisationsvorgang ausgelegt. Aber im Unterschied zur Menschensohnchristologie fehlt der Formel ein direkter futurischer Aspekt. Sie hat vielmehr wie die Prädikation des Gottes, der Jesus von den Toten auferweckte, ihre eigentliche Relevanz für die Gegenwart. Dies hängt mit der Aussage über den *Geist* zusammen und mit dem Titel *Sohn Gottes*. Mag dieser vorchristlich bisher nicht in titularer Verwendung belegt sein, daß er messianische Bezeichnung ist, steht außer Frage. Aufgrund der jüdischen messianischen Auslegung von 2 Sam 7 ist zunächst dafür auf 2 Sam 7,14 selbst zu verweisen, sodann auf Ps 2,7 und 4 QFl zu 2 Sam 7,14ff. Außerdem steht PsSal 17,21 nahe. Eine Einsetzung zum Sohne Gottes im Rahmen dieser Tradition besagt dann: Gott hat Jesus zum endzeitlichen Herrscher eingesetzt, so daß er von der

---

[17] Am Rande sei vermerkt, daß m. E. diese christologische Konzeption der Formel über einen längeren traditionsgeschichtlichen Prozeß offenbar eine Basis für die Konzeption des Markusevangeliums abgab.

[18] Vgl. *Blank*, Paulus 252f.

Auferstehung an und durch sie als solcher regiert. Die Modalität dieses Regiments ist mit dem heiligen Geist hinlänglich bezeichnet. Daß die Geisterfahrung zum ältesten Signum der nachösterlichen Gemeinde gehört hat, braucht heute nicht mehr ausdrücklich begründet zu werden. Ostererfahrung und Geistbegabung gehören zusammen.[19] Beides spiegelt sich für die junge Gemeinde in der Sendung wider,[20] wie sie schon implizit in der ältesten Ostertradition (vgl. 3.1.) enthalten war. Dann gilt: Jesus ist als Erhöhter inthronisierter eschatologischer Messiaskönig und übt seine Herrschaft durch den Geist Gottes und die damit verbundene Sendung aus. Jedoch ist diese Pointe der Formel wohl noch etwas weiter präzisierbar.

Bekanntlich lag für die frühe Christenheit die *Rezeption der Messianologie* nicht besonders nahe. Vom Menschensohn als der anderen im Judentum vorherrschenden Heilsgestalt hatte Jesus selbst gesprochen. Bei dieser Heilsgestalt fehlte auch weitgehend das national-politische Element, das gerade das Messiasbild der damaligen Zeit (PsSal 17, Zelotismus) prägte.[21] Falls zudem der Titulus am Kreuz mit der von Juden im Zusammenhang des Prozesses vor Pilatus an Jesus herangetragenen Königstitulatur historische Wahrheit insofern enthält,[22] als Jesus wohl in der Tat des gegen Rom gerichteten Messianismus' angeklagt wurde, dann war es für Jesu Jünger in Jerusalem und Judäa unmittelbar nach der Ostererfahrung kaum denkbar, daß sie den Messiastitel auf Jesus übertrugen. Etwas anderes war es schon, wenn das griechisch sprechende Judenchristentum außerhalb Palästinas — also zum Beispiel in Syrien — die totale Entnationalisierung der Messiasidee vollzog und diese dann in neuer Gestalt auf Jesus applizierte. Hiermit mag es zusammenhängen, daß man statt des viel geläufigeren »Messias/Christos« das weniger verfängliche »Sohn Gottes« wählte. In jedem Fall war ein Bekenntnis zur österlichen Inthronisation Jesu nicht nur konform mit der bisherigen frühchristlichen Erhöhungsvorstel-

---

[19] Ich verweise nur auf *Kasting*, Anfänge: passim.
[20] Vgl. dazu *Kasting*, Anfänge 82ff.
[21] Zu beiden Heilsgestalten vgl. *Müller*, Messias.
[22] Die Sicherheit, mit der *Hengel*, Sohn 95f, die Kreuzesinschrift »König der Juden« als historische Tatsache hinstellt, ist sehr bedenklich, wenn man die Ausführungen von *Kuhn*, Jesus 3ff, dagegenhält.

lung, sondern zugleich das stärkste entnationalisierende Element, das man sich denken konnte. Jedoch war dies wohl noch kaum Anlaß genug, um eine christliche Messianologie zu starten. Auch der Verweis darauf, daß der Titel Menschensohn außerhalb Palästinas mißverstanden wurde, ist zwar richtig, aber kaum allein ausschlaggebend für diesen Vorgang.

Hier hilft folgende Erwägung weiter: Herrschte der inthronisierte Christus als Sohn Gottes durch den heiligen Geist Gottes — auch gemäß der vorgegebenen Tradition gehört zur Ausstattung des Messias die Geistbegabung, vgl. PsSal 17,37; 18,7; 1 QSb 5,25 —,[23] dann war im Raume außerhalb Palästinas damit zugleich das Thema *Heidenmission* auf der Tagesordnung, war es doch für diese frühen außerpalästinischen Gemeinden gerade der Geist, der als Ermächtigungsgrund galt, jenseits der jüdischen Volks- beziehungsweise Synagogenzugehörigkeit Mission zu betreiben.[24] Eben hier konnte nun die Aufnahme der Messiasvorstellung begründend weiterhelfen: Der Messias ist ja Weltherrscher und regiert über die Völker (Ps 2,8; PsSal 17,3 usw.). Also ergibt sich: Jesus ist irdisch aus Davids Stamm, Ostern zum Sohne Gottes inthronisiert und damit Weltherrscher. Diese Herrschaft übt er aus durch den Geist, der die Mission unter den Völkern inszeniert. So verstanden, ist die neue Inthronisationsformel Legitimation der griechisch sprechenden judenchristlichen Mission zur Überschreitung der jüdischen Volksgrenzen. Dazu gibt es in der urchristlichen Bekenntnisbildung eine

---

[23] Dieser Geist Gottes wird ebenfalls natürlich dem endzeitlichen Heilsvolk gegeben. Vgl. dazu *Kuhn*, Enderwartung 117ff.

[24] Wahrscheinlich intendiert die Einigung auf dem Apostelkonvent nach Gal 2,8f mit dem Verweis auf das Wirken Gottes in den petrinischen ebenso wie in den paulinischen Missionsgemeinden das Wirken des Geistes als Grund der Anerkennung eines paulinischen Apostolats unter den Heiden. Dazu paßt auch Röm 15,15f, wo Paulus den Ertrag seines apostolischen Priesterdienstes an den Heiden u. a. als »geheiligt im heiligen Geist« bezeichnet. Auch die alte Taufformel in 1 Kor 6,11 — die doch wohl in jedem Fall auch für ehemalige Heiden Geltung hat, falls sie nicht wahrscheinlicher überhaupt »heidenchristliche« Theologie vertritt — hat konstitutiv das Geistmotiv. Dem entspricht die Paränese an Heidenchristen in 1 Thess 4,3-8, die in der Aufforderung zur Heiligung im heiligen Geist endet.

sachlich nicht weit entfernte, wohl aber traditionsgeschichtlich spätere Analogie: 1 Tim 3,16. Hier werden ebenfalls Erhöhung und Völkermission zusammengesehen.

Ist aber Röm 1,3b-4 angelegt auf Heidenmissionsbegründung, dann wird verständlich, warum Paulus den Titel »Sohn Gottes« so gern im Zusammenhang des Evangeliums und seiner Verkündigung benutzt und diese Formel geradezu zur Definition des Evangeliums in Röm 1,1ff heranzieht. Dann wird ferner auch deutlich, warum in der Heidenmissionspredigt, deren Schema 1 Thess 1,9f zu finden ist, derselbe Titel begegnet. Darüber ist gleich noch ausführlicher zu handeln. Vorbehaltlich der nachstehenden Behandlung dieses Schemas kann schon gesagt werden: Der Wegbereiter dazu ist die Verwendung des Titels Sohn Gottes im österlichen Inthronisationszusammenhang mit missionarischem Welthorizont.

Diese vorgetragene Deutung zu Röm 1,3b-4 hofft, ein meines Ermessens deutliches Manko bei der bisherigen Erörterung der Formel zu beheben. In der Regel analysiert man die Formel ausschließlich im Rahmen christologischer Theoriebildung des Urchristentums. Dabei blendet man die Frage nach dem »*Sitz im Leben*« der Gemeindewirklichkeit aus. Man fragt nicht bei der Bestimmung der Christologie in der Formel nach dem Anlaß und der Absicht, warum und wozu gerade diese Christologie konzipiert wurde. Kurzum: Man erörtert die Formel funktionslos. Doch wie man zum Beispiel bei der Analyse des Hymnus in Phil 2,6-11 die darin zutage tretende Christologie mit dem urchristlichen »Enthusiasmus« in Verbindung bringt, so sollte man konsequenterweise analog bei allen Traditionsmaterialien versuchen, die dazugehörige Gemeindewirklichkeit zu bestimmen. Dem dient zum Beispiel der vorliegende Versuch zu Röm 1,3b-4, Christologie und konkrete Gemeindesituation — hier Heidenmission — zuammenzudenken.

Als *Ergebnis* der Erörterung kann festgehalten werden, daß diese Auffassung von Röm 1,3b-4 deutlich macht: »Auferstehung der Toten« kann in der Formel nur exklusiv christologisch verstanden werden. Allgemeine Totenauferweckung am Ende der Tage kommt nicht in Sicht. Das allgemeine »Weltbild« der Formel bleibt dasselbe wie in den schon besprochenen Traditionsmaterialien. Innerhalb seiner wird nur die frühe christliche Mission unter palästinischen Juden entpartikularisiert und verallgemeinernd auf den Horizont der Weltmission hin erweitert. Die älteste Osterauslegung thematisierte die göttliche Legitimation Jesu und die Sendung der Jünger. Das Maranatha artikulierte die Hoffnung dieser Jünger, Röm 1,3b-4 begründet die mit der Sendung gemeinten Adressaten neu durch Ausweitung. Damit stehen wir zugleich unmittelbar vor 1 Thess 1,9f.

5. Das Predigtschema in 1 Thess 1, 9f

5.1. Der Theologiegeschichtliche Ort

Nun kann es hier nicht die Aufgabe sein, die christologische Bekenntnisbildung überhaupt und im ganzen weiter zu verfolgen. Nur die Linie, in deren Zusammenhang dann das Thema von der Totenauferweckung der Gemeindeglieder beziehungsweise aller Menschen eingebracht wird, soll weiter bedacht werden. Darum ist als nächstes auf das eben schon genannte Zwischenglied 1 Thess 1,9f einzugehen, einem Schema einer *judenchristlichen Missionspredigt* aus der hellenistisch-jüdischen Diasporasituation, dessen *Adressaten Heiden* sind.[1] Aufbau und Thematik des Schemas stammen so gut wie sicher aus der Zeit, als Paulus noch einer der Gemeindemissionare des antiochenischen Gemeindezentrums war. Paulus hatte von zirka 35-48 nach Christus von ihm aus mit Barnabas Mission betrieben und sich kurz nach dem Zusammenstoß mit Petrus in Antiochia (Gal 2,11ff; Zeit ca. 48 n. Chr.) von der Gemeinde am Orontis und von Barnabas getrennt. Er betreibt nun außerhalb des antiochenischen Missionsgebietes als selbständiger Apostel Mission, wobei die theologische Begründung aus Röm 15,20f und der Wunsch, denkbare Streitereien innerhalb des antiochenischen Einflußgebietes zu meiden, koinzidieren können. Dies bedeutet daher nahezu zwangsläufig, den Weg nach Europa — zunächst Mazedonien — zu wählen. Analog der antiochenischen Missionspraxis entstehen Philippi und Thessaloniki als Gemeindezentren in ihrer Eigenschaft als »Vororte« Mazedoniens, die ins Land ausstrahlen sollen. Nun wird Paulus so unmittelbar nach seinem Abschied aus Antiochia kaum einen anderen Missionsinhalt vertreten haben, als er es in der antiochenischen Zeit gewohnt war. Im Blick auf den schnellen Aufbruch aus Thessaloniki (1 Thess 2,13ff; 3,1ff; Apg 17,1ff) und den ganz kurz danach geschriebenen 1. Thessalonicherbrief (vgl. 3,1ff) wird man konstatieren, daß die Erinnerung an die nur kurz zurückliegende Missionierung in Thessaloniki in 1 Thess 1,2-10 auch kaum auf seiten des Apostels oder seiner Gemeinde

---

[1] Vgl. dazu *Bussmann*, Themen 39ff.

schon getrübt sein konnte. Dazu kommt eine weitere allgemeine Erwägung: Da Paulus gerade als selbständiger Missionar seine Tätigkeit begonnen hatte, wird er wegen der Unsicherheiten solcher Unternehmung und möglicher Streitigkeiten um Anerkennung sich wohl sicher in der »Lehre« betont im traditionellen Rahmen gehalten haben. Das bedeutete für ihn zweifelsfrei, vornehmlich antiochenische Theologie zu vertreten. Diese Problemskizze hilft nicht nur überhaupt, manche Eigenheiten im 1. Thessalonicherbrief zu verstehen, sondern kann speziell zusätzlich zur Begründung dienen, daß 1 Thess 1,9f die Typik antiochenischer Missionspraxis widerspiegelt.[2]

5.2. DAS PROBLEM TRADITIONSGESCHICHTLICHER SCHICHTUNG

Das Predigtschema behandelt zwei Themen: Einmal die Abkehr von den Götzen und die Hinwendung zum lebendigen und wahren Gott, zum anderen die Zukunftserwartung als Rettung vom Zorn. In dieser formal-allgemeinen Angabe sind beide Themenbereiche der Proselytenwerbung des hellenistischen Judentums bekannt.[3] Komplizierter gestaltet sich dann allerdings im einzelnen die *Analyse der Hoffnungselemente*, die allein hier von Interesse sind. Der Text lautet:

> ... zu erwarten seinen Sohn aus den Himmeln,
> den er von den Toten auferweckt hat,
> Jesus, der uns vom kommenden Zorn errettet.

Daß das Auferstehungselement leicht herauslösbar ist, ja zwischen den beiden anderen Aussagen, die ein vollständiges Ganzes repräsentieren, einen syntaktisch schlechten Platz besitzt, ist längst be-

---

[2] Diese Zuordnung sollte jedoch nicht im exklusiven Sinn ausgelegt werden. Auch soll die Voraussetzung der Einheitlichkeit des 1. Thessalonicherbriefs gelten, ohne daß sie im einzelnen hier durchdiskutiert werden kann. Jedenfalls scheint mir trotz mancher Schwierigkeiten die Einheitlichkeit als Annahme weniger problematisch als literarkritische Operationen.

[3] Die Belege sammelt und bespricht *Bussmann*, Themen 47ff.

obachtet worden:[4] Der Relativsatz sprengt die syntaktische Verbindung zwischen Vordersatz und appositionellem Nebensatz. Der Verdacht, das mittlere Element sei traditionsgeschichtlich angewachsen, läßt sich darum nicht von der Hand weisen, zumal diese Auferstehungsaussage eine selbständige Traditionsgeschichte aufweist und relativ nahe bei der oben analysierten Prädikation Gottes als dessen steht, der Jesus auferweckt hat.

Nun ist es weiter analog der Bekenntnisformel in Röm 1,3-4a gut denkbar, daß der Titel »Sohn Gottes« im ersten Glied aus 1 Thess 1,10 sich der Einfügung eben dieser mittleren Zeile verdankt. Wenn nämlich der Titel »Sohn Gottes« überhaupt seinen ersten Haftpunkt innerhalb der urchristlichen Theologiegeschichte im Themenkreis der messianisch gedeuteten Auferstehung Jesu besaß,[5] außerdem sein Auftreten im eschatologischen Zusammenhang erst später beobachtet werden kann, ja das erste und dritte Element in 1 Thess 1,10 zweifelsohne Menschensohntradition repräsentieren,[6] dann liegt es nahe, in der ersten Zeile »Sohn Gottes« durch ein ursprünglicheres »Menschensohn« zu ersetzen.[7]

Auch zum *Alter* dieser Bearbeitung läßt sich eine Angabe machen. Daß Paulus den Titel »Sohn Gottes« erst eingetragen hat, ist nicht sehr wahrscheinlich, da ein konkreter Anlaß nicht sichtbar ist. Auch hatte sich für die unmittelbar vor 48 nach Christus liegende Phase der antiochenischen Theologie gerade auch bei Zukunftsaussagen längst der Kyriostitel durchgesetzt. Der Beweis: Paulus spricht in 1 Thess 2,19; 3,13; 4,15; 5,23 gehäuft wie selbstverständlich von der Parusie des Kyrios. Diese Prägung ist nicht seine Neuschöpfung, zumal er später nur noch einmal 1 Kor 15,23 von der Parusie Christi spricht. Paulus wird die Verbindung also aus der antiochenischen Zeit her kennen. Hier war das »Kommen des Menschensohnes« langsam durch die hellenistische Formel der »Parusie des

---

[4] *Bussmann*, Themen 51. Allerdings wird man die Behandlung des Auferstehungsthemas nicht als »stiefmütterlich« bewerten dürfen (ebd.). Die funktionale Verwendung ist nur eine andere als die, die sich später durchgesetzt hat.

[5] Vgl. oben 4.1.-3. und *Schweizer*, in ThWNT VIII 327f.

[6] Vgl. dazu *Friedrich*, Tauflied 512ff; *J. Becker*, Erwägungen 399f.

[7] So *Friedrich*, Tauflied 514.

Kyrios« abgelöst worden. Diese Sachlage fordert die Ansetzung der Bearbeitung in 1 Thess 1,10 in recht früher Zeit.[8]

5.3. DIE THEOLOGIE DES GRUNDBESTANDES

Ohne diese Bearbeitung ergibt sich als Bestand des Schemas:

> ... zu erwarten den Menschensohn aus den Himmeln,
> Jesus, der uns vom kommenden Zorn errettet.

Diese Aussage ist bis auf den Namen »Jesus« durchaus den Motiven nach jüdisch. Doch besteht kein Anlaß, »Jesus« als nicht ursprünglich anzuzweifeln, um so für das ganze Schema in 1 Thess 1,9f eine vorchristliche hellenistisch-jüdische Doppelthematik (Monotheismus und Soteriologie) einer typischen Proselytenwerbung zu bekommen.[9] Das ganze Hoffnungsthema in dem Predigtschema ist vielmehr genuin christlich, so sicher einzelne Motive aus ihm bis ins Judentum zurückverfolgt werden können. Dies läßt sich nicht nur mit der unbegründeten Herauslösung von »Jesus« erhärten, sondern noch durch zwei weitere Beobachtungen.

Einmal steht der herausgeschälte Grundbestand erstaunlich nahe beim *Gebetsruf »Unser Herr, komm!« (maranatha)*. Beide Traditionsstücke repräsentieren Menschensohnchristologie. Beide vertreten ganz entschieden eine futurisch-eschatologische Heilserwartung. Beide sind von der unmittelbaren Naherwartung des Endes geprägt. Beide Texte interessieren sich beim Thema Endgericht nur für das Heilsverhältnis der Gemeinde zum Menschensohn Jesus, sonst herrscht Abstinenz gegenüber der Apokalyptik.[10] Beidemal fehlt auch jede leiseste Spur einer Andeutung der Totenauferweckung der Gemeinde beziehungsweise aller.[11] Die Lösung des Todespro-

---

[8] Unpaulinisch ist auch das »von den Toten«. Paulus benutzt diese Wendung sonst immer artikellos (Röm 6,4.9; 7,4 usw.). Daß Apg 17,31 die christologische Auferstehungsaussage ähnlich wie 1 Thess 1,10 verarbeitet ist, spricht gleichfalls für obige These.

[9] So *Bussmann*, Themen 52f.

[10] Vgl. *J. Becker*, Erwägungen 399f.

[11] Dies fällt um so mehr auf, wenn man das andere Predigtschema des Urchristentums aus Hebr 6,1f vergleichend heranzieht, in dem »Auf-

blems ist noch kein Element der Hoffnung, weil die Naherwartung des kommenden Jesus wie selbstverständlich als Kehrseite die stillschweigende Annahme besitzt: Alle jetzt lebenden Gemeindeglieder werden dabei sein, wenn der Menschensohn kommt. Also ergibt sich: Gebetsruf und Predigtthema sind sachlich deckungsgleich. Der Grundstock aus 1 Thess 1,10 stammt darum eventuell schon aus der Zeit der frühen palästinischen Urgemeinde. Beim Übergang zur Heidenmission — etwa in Antiochia — erhielt er dann das Thema »Monotheismus« vorweggestellt.

Die zweite Beobachtung bezieht sich auf ein Motiv in 1 Thess 1,10, das nicht unmittelbar im Gebetsruf mit enthalten ist: Gemeint ist der *kommende Zorn*. Diese Formulierung erinnert so auffällig an die Täuferpredigt,[12] daß man hier wohl doch mit einem traditionsgeschichtlichen Zusammenhang, vermittelt über die Jesuspredigt, rechnen muß. Damit ergibt sich eine deutliche Linie: Täufer — Jesus — frühe Urgemeinde in bezug auf die Menschensohntradition und die Thematik des kommenden Zorns über alle. Darum liegt es auch nahe, für 1 Thess 1,10 die Kontinuität der Welt vorauszusetzen und anzunehmen, daß die lebenden Christen vorbei am Zorn über alle anderen gerettet werden. Eine indirekte, aber beachtenswerte Verschiebung ist darüber hinaus noch anzumerken: Die Adressaten des Täufers und Jesu waren primär ganz Israel. Nach 1 Thess 1,10 ist der Kreis der unmittelbar Angeredeten ausgeweitet auf alle Menschen. Dies ist Folge der missionarischen Expansion der frühen Gemeinde, die in der jüdischen Diaspora jedoch solche Applikation des apokalyptischen Zorns an die Heiden bereits vorfand.

Doch gerade wenn man die Proselytenwerbung so eng vergleichend heranzieht, wird noch ein *tiefgreifender Unterschied* zu ihr sichtbar: Das Judentum hat zur Rettung vom Zorn auf das Gesetz als Heilsweg verwiesen. Davon wird nun in 1 Thess 1,9f geschwiegen. Dies muß mit Absicht geschehen sein, weil die Heilsbedingung neu formuliert ist: Jesus ist Retter vom kommenden Zorn. Damit zeigt das Predigtschema eine versteckte, aber vom zeitgeschichtlichen Kontext her nichtsdestoweniger konstitutive gesetzeskritische Hal-

---

erstehung der Toten« und »ewiges Gericht« selbständige Themen sind. Vgl. dazu *Wilckens*, Missionsreden 81ff.

[12] Das hebt *Friedrich*, Tauflied 514f, mit Recht hervor.

tung.[13] Dann kann es nicht mehr als zufällig betrachtet werden, daß gerade Antiochia zu den Missionsgründungen der sogenannten Hellenisten zählt und diesen Stephanusanhängern Gesetzeskritik zugeschrieben wird (Apg 6,8ff; 11,19ff). In Antiochia wird die christliche Gemeinde außerdem zuerst als »Christen« bezeichnet (Apg 11,26). Das bedeutet soziologisch (relative) Selbständigkeit vom Judentum, theologisch impliziert dies, daß die christliche Identität nicht mehr mit Hilfe des Gesetzes ausgesagt wurde, sondern unter Abrogation des Gesetzes mit Hilfe der Christologie allein.

5.4. DIE AUFERWECKUNGSFORMEL IN DEM SCHEMA

Nach dieser Erörterung des Grundbestandes aus 1 Thess 1,10 muß nun noch einmal zur nachgetragenen Auferstehungsformel zurückgekommen werden. Welchen *funktionalen Sinn* hat sie angesichts des eben erörterten Sachverhaltes in ihrer neuen Heimat des Grundbestandes? Es fällt auf, daß sie in das Thema Hoffnung eingetragen ist und noch nicht dazu verwendet wurde, aus dem zweiteiligen Predigtschema eine dreiteilige Thematik aufzubauen: 1. Monotheismus, 2. Heilsbedeutung von Tod und Auferstehung Jesu und 3. Hoffnung. Vielmehr gilt: Wie in dem Gebetsruf: »Unser Herr, komm!« und in dem Grundstock aus 1 Thess 1,10 die Aussage des Kommens Jesu zum eschatologischen Heil der Gemeinde stillschweigend und selbstverständlich voraussetzt, daß dieser Jesus der von Gott auferweckte und dadurch derjenige ist, der als Menschensohn kommt, so wird nunmehr durch die erweiterte Fassung von 1 Thess 1,10 genau diese Vorstellung direkt expliziert. Die Auferweckungsformel gibt also den Ermöglichungsgrund an, warum die Gemeinde Jesus als Menschensohn ansehen kann, und legitimiert dabei zugleich die Hoffnung als Heilsansage gegenüber den Adressaten. Dies bedeutet ganz genau wie bei der Ursprungssituation der Auferweckungsaussage, daß Jesu Auferweckung als das Exzeptionelle und Einmalige verstanden ist.

Noch eine weitere Beobachtung ist anzufügen: Es fällt auf, daß in diesem Predigtschema die Auferweckungsformel, die Menschen-

---

[13] *Stuhlmacher*, Evangelium 262.

sohnchristologie und die Sohn-Gottes-Vorstellung, wie sie in Röm 1,3b-4 einen traditionsgeschichtlich faßbaren ersten Haftpunkt hatte, in einer respektablen *Integrationsleistung* vereint sind. Das heißt, was im Bekenntnis und Gebet für sich existiert, wird hier in der Predigt zusammengeschaut und miteinander verbunden. Die Predigt wird damit zum Ort, an dem analog zu den Briefen des Paulus — um nur auf die ältesten literarischen Dokumente des Urchristentums abzuheben — die selbständigen Traditionen mit ihren diversen Haftpunkten im Leben der Urchristenheit zu einem Ganzen mit aller noch erkennbaren Komplexität zusammengearbeitet werden. Dieser Integrationsprozeß muß sehr früh eingesetzt haben, wie das hohe Alter von 1 Thess 1,9f bezeugt. Daneben muß dann ebenfalls das Eigenleben bestimmter Bekenntnis- und Liedmaterialien weiter prosperiert haben. Diese Traditionen wurden dann ebenfalls Anlaß erneuter Integrationsbemühung.

Endlich läßt sich in Aufnahme der über die theologiegeschichtliche Entwicklung orientierenden Ausführungen am Schluß von 4.3. nun festhalten: Der Schritt über die älteste Auferweckungsformel, den Gebetsruf Maranatha und die messianische Inthronisationsformel in Röm 1,3b-4 liegt in bezug auf 1 Thess 1,9f eben in dieser Integration. Jesu Auferweckung, seine Menschensohn- und Sohn-Gottes-Würde werden zu einem neuen Ganzen vereint.

5.5. Die Abhängigkeit des Paulus von dem Schema

Alle dargestellten Beobachtungen zu 1 Thess 1,9f machen deutlich: Der Grundstock wie auch die erweiterte Form von 1 Thess 1,9f gehören in die frühe Zeit syrisch-antiochenischer Missionsverkündigung. Stimmt es dann wirklich, wie eingangs dieses Abschnittes angenommen wurde, daß Paulus noch in diesem Sinn in Thessaloniki in Fortsetzung bis dahin geltender antiochenischer Praxis missionierte? Darauf läßt sich eine begründete im Prinzip positive Antwort geben, wenn man unter vorläufiger Ausklammerung des Abschnittes 1 Thess 4,13 - 5,11 sich den Briefinhalt des 1. Thessalonicherbriefs ansieht. Selbstverständlich gibt es Modifikationen bei der Ausgestaltung des Schemas, aber in bezug auf den entscheidenden Problemkreis der Auferweckung der Toten gerade nicht.

Sicherlich haben sich zwischen der Entstehung des Predigtschemas 1 Thess 1,9f und dem 1. Thessalonicherbrief theologiegeschichtlich viele grundlegende Ereignisse zugetragen, zum Beispiel wurde die Präexistenz Christi mit Hilfe weisheitlicher Tradition ausgeformt, die Heilsbedeutung des Todes Christi erstmals artikuliert und in verschiedenen Formeln festgehalten, die Kyrios-Vorstellung gewinnt ganz erheblichen Einfluß auf die Christologie und möglicherweise ist auch die Schöpfungsmittlerschaft des Präexistenten schon christologisch relevantes Thema. Aber es wird hier behauptet, daß die *Konsistenz des Predigtschemas* 1 Thess 1,9f noch solange erhalten blieb, daß es am 1. Thessalonicherbrief erkennbar ist. Ein Teil der genannten Themen werden auch ihren primären Haftpunkt nicht in der Missionspredigt gehabt haben. Da der 1. Thessalonicherbrief einer solchen Missionspredigt in manchen Punkten noch recht nahe kommt, wiewohl er schon innergemeindliche Problematik verhandelt, sollte das Fehlen einiger Themen nicht sofort Anlaß sein, Paulus zur Zeit der Entstehung des 1. Thessalonicherbriefs solche Aussagen ganz fremd sein zu lassen. Nur eines ist klar: Das Thema »Auferstehung der Toten« hat im Predigtschema wegen der Naherwartung keinen Platz, wird aber in 1 Thess 4,13ff ausdrücklich als neues aktuelles Thema verhandelt, so daß hier die Entwicklung genau verfolgt werden kann. Bevor das geschieht, muß nun jedoch vorgeführt werden, inwiefern sich im 1. Thessalonicherbrief das Predigtschema aus 1 Thess 1,9f widerspiegelt.

Zunächst bedeutet die Annahme der Missionspredigt »*Berufung*« (1,4), wobei der »Berufende« Gott ist (5,24). Die Berufung erfolgt zu »*Gottes Reich* und Herrlichkeit« (2,12), ist also futurisch-eschatologisch ausgerichtet. Dabei wird 2,12 ein Indiz sein, daß die Verkündigung des Gottesreiches durch Jesus in der antiochenisch-paulinischen Tradition nicht ganz ohne Fortsetzung ist. Der Ausdruck fällt in typischer Selbstverständlichkeit, verrät also geprägte Sprache. Ein Blick auf sonstiges urchristliches Vorkommen bestätigt diesen Sachverhalt. Bis in die dritte Generation hinein begegnet trotz im ganzen seltenen Gebrauchs der Begriff immerhin typischerweise in vor allem zwei Zusammenhängen: als Terminus der Missionssprache (1 Kor 6,9f; Eph 5,5; Kol 4,11; Apg 8,12; 19,8; 28,31) und im Zusammenhang mit Taufaussagen (1 Kor 6,9-11; Apg 8,12; Joh

3,3.5; vgl. Kol 1,13), wobei beides sich wegen der sachlichen Nähe leicht verbinden kann. Nun wird man sagen müssen, daß die de facto in der Urgemeinde vollzogene inhaltliche Füllung des Begriffs »Gottesreich« als Zusammensein mit dem Menschensohn Jesus (so aus 1 Kor 16,22; 1 Thess 1,10 erschließbar) den Begriff selbst langsam verdrängt hat. Die weiteren Ausgestaltungen der Christologie und Eschatologie förden diesen Prozeß. Weil also die Heilsgestalt Jesu als Inhalt des Gottesreiches schlechthin galt und weil die Personalrelation Gemeinde — Jesus wichtiger erschien als das Festhalten am weiter gespannten Vorstellungshorizont des Gottesreiches, ja weil wohl auch speziell durch die christologische Füllung des Begriffs »Gottesreich« das christliche Element besonders klar im Verhältnis zum nichtchristlichen Gebrauch von »Gottesreich« zur Geltung kam, wurde der Begriff überhaupt langsam zurückgestellt. Um 48/49 nach Christus ist jedenfalls in der antiochenisch-paulinischen Verkündigung der Ausdruck »Parusie des Kyrios« vorherrschend, »Gottesreich« nur noch rudimentär und traditionell.

Der Stand der so Berufenen ist charakterisiert durch den *Glauben* (1,3; 3,2.5-10; 5,8) und den *Geist* (1,5f.19f; 4,8f; 5,19). Dabei ist wahrscheinlich die Geistbegabung aufgrund von alttestamentlichen Stellen wie Jes 54,13; Jer 31,31f; Ez 36,27 als endzeitliche Erfüllung alter Heilserwartung angesehen (vgl. 4,8f). Am Geist orientiert ist der *Wandel*. Es geht darum, »Gott würdig zu wandeln« (2,12), was dem Dienen Gottes in 1 Thess 1,9 entspricht. Wandel wird ferner als Agape und Heiligung ausgelegt (4,1ff; 5,12ff u. ö.). Dies ist typische Ethik unter der Kondition der Naherwartung.

Diese ist dann auch ausgesprochen (5,23f), besonders jedoch deutlich in 4,15-17 erkennbar. Der Inhalt der *Naherwartung* ist die *Parusie des Kyrios* (2,19; 3,13; 5,23f). Hier wird die Nähe zu 1,10 handgreiflich. Nimmt man dabei 5,23f genau (vgl. auch 3,13), dann ergibt sich, daß die Gemeindeglieder mit »Geist, Seele und Leib« (sic!) bis zur Parusie »bewahrt« (sic!) werden sollen. Der berufende Gott ist so treu, daß er das auch tun wird, so ist ausdrücklich versichert. Vorzeitiges Sterben ist nicht einkalkuliert. Es setzt sich in der Tat der Druck der traditionellen Predigt durch, obwohl gemäß 4,13ff indessen das Problem gestorbener Gemeindeglieder akut wurde. Heilsteilhabe bedeutet also Bewahrung vor vorzeitigem Tod und dann vor endgerichtlichem Zorn aufgrund der Zugehörigkeit zum Kyrios. Diese Aussage tritt sogar auch deutlich in dem Teil des 1. Thessalonicherbriefs auf (also in 4,13 - 5,11), der hier zunächst zurückgestellt wurde, nämlich in 5,9f: »Gott hat uns nicht für den Zorn gesetzt, sondern zur (endzeitlichen) Heilserwerbung durch unseren Herrn Jesus Christus, der für uns gestorben ist«. Hier ist 1 Thess 1,10 recht unmittelbar präsent, nur daß — um die wichtigste Differenz herauszustellen — die alte Auferweckungsaussage (vgl. 3.1.) mit der wohl im syrisch-antiochenischen Raum entstandenen Sterbeaussage[14] ausgetauscht ist. Damit ist nicht nur der älteste literarische Beleg für die bekenntnisartige Formulierung des Heilstodes Jesu »für uns« gegeben, sondern wahrscheinlich läßt auch traditionsgeschichtlich die funktionale Einordnung in denselben eschatologischen Zusammenhang aus 1 Thess 1,10 auf sehr hohes Alter schließen.

Kontrolliert werden können diese skizzenhaften Beobachtungen am Gegenbild, das von den *Nichtchristen* gezeichnet ist. Sie kennen Gott nicht und können ihm nicht gefallen (2,15; 4,15) — das ist die vorausgesetzte Kehrseite auch in 1,9! Der Wandel der Nichtchristen ist sündig (2,15; 4,6f) — also sie dienen Gott nicht (1,9). Als Finsternis (5,5) stehen sie alle unter dem Gericht Gottes (4,6; 5,9), so daß die Juden in 2,16 nur ein Spezialfall allgemeiner Vernichtung im Zorn sind, und abermals die Allgemeinheit und Unentrinnbarkeit in bezug auf den göttlichen Zorn aus 1,10 erkennbar wird.

Die Recherche hat also ein eindeutig positives *Ergebnis*: Paulus hat bei der Missionierung in Mazedonien und bei der Abfassung des 1. Thessalonicherbriefs im Sinne des Schemas aus 1 Thess 1,9f missioniert, mithin dieses mit Recht als Indikator für die Erinnerung an die Missionierung am Briefeingang angegeben und also auch unter dem Einfluß des Schemas die mögliche Frage des Schicksals verstorbener Christen nicht thematisiert.

---

[14] Trotz vieler Differenzen im einzelnen folge ich damit im Prinzip *Wengst*, Lieder § 3f.

5.6. Das Problem toter Christen

Hat es dann vor 49 nach Christus (vgl. 1 Thess 4,13ff) keine toten Christen außerhalb von Thessaloniki gegeben? Diese Frage ist mit Sicherheit zu bejahen: Es gab sie. In jedem Fall wurden Stephanus (Apg 7,54ff) und der Zebedäide Jakobus (Apg 12,2) getötet. In beiden Fällen geht es um erste *christliche Martyrien*. Beide starben also eines vorzeitigen unnatürlichen Todes in der Konsequenz ihres Eintretens für das Christentum. Daß gerade sie mit solcher Beurteilung ihres Lebensendes vom Heil ausgeschlossen sein sollten, wäre für die Gemeinde sicherlich eine komplette Absurdität, zumal ja eine gewisse Analogie zum Geschick Jesu (und Johannes des Täufers) nicht zu übersehen war. Wie immer die aramäisch sprechende frühe Christenheit Palästinas über den Tod dieser Gemeindeglieder gedacht haben mag — darüber ist schlechterdings nichts Sicheres auszumachen —, die Parusieerwartung haben diese Ausnahmen frühester bekannter Todesfälle mit voller Sicherheit nicht verändert. Wie jedoch das hellenistische Judenchristentum in der Diaspora — wahrscheinlich noch konkreter: in Syrien — mit diesen ersten Märtyrern in den eigenen Reihen theologisch umging, ist wohl doch noch etwas genauer kalkulierbar.

Das palästinische Judentum und das dort beheimatete Urchristentum verstanden generell den jähen Frühtod als Gericht Gottes.[15] Positive Folgen aus ihm abzuleiten, war darum im allgemeinen unmöglich oder zumindest besonders erschwert. Aufgrund seiner anderen religionsgeschichtlichen Voraussetzungen ergriff jedoch das hellenistische Judenchristentum die Interpretationsmöglichkeit, wie sie sich zum Beispiel im 2. und 4. Makkabäerbuch findet: Solcher Tod kann als *stellvertretendes Sühneleiden* ausgelegt werden. So wird — offenbar im antiochenischen Bereich — Jesu Tod als Heilstod für die Gemeinde interpretiert.[16] Hatte vorzeitiger Tod als Konsequenz des Eintretens für Gott einmal solchen positiven Aspekt für die Gemeinschaft erhalten, dann war zugleich die Möglichkeit eröffnet, auch über das Geschick des Märtyrers selbst nach seinem Tod besondere Vorstellungen zu entwickeln. Eben diesen

---

[15] Zu dieser These vgl. *J. Becker*, Gottesbild 123f.
[16] Dazu vgl. die Ausführungen bei *Wengst*, Lieder 62ff.

Vorgang kann man im 4. Makkabäerbuch erkennen. In diesem Werk bringen nämlich verschiedene Stellen zum Ausdruck, daß solches Todesschicksal einmal Sühne für die Gemeinde stiftet und zum anderen für den Märtyrer selbst darüber hinaus die unmittelbare Aufnahme in den Himmel zur Folge hat. Auf der Basis, daß im hellenistischen Judentum unter anderem die Vorstellung verbreitet war, Gerechte würden nach dem Tode direkt (vgl. etwa SapSal 3,1-3; 3,7-10) oder allein (vgl. etwa 2 Makk 7,9.11.14.23.29.36) in die Seligkeit bei Gott versetzt,[17] konzentriert sich die Darstellung im 4. Makkabäerbuch auf den leidenden Gerechten als Märtyrer und schreibt ihm sofortige Aufnahme bei Gott zu: 4 Makk 6,29; 9,8; 16,25; 17,18-20; 18,10-24. Danach werden die Märtyrer »bei Gott sein, um dessentwillen . . . (sie nun) leiden« (9,8). Sie sterben in dem Bewußtsein: »Wenn sie um Gottes willen sterben, werden sie bei Gott leben wie Abraham, Isaak und Jakob und alle Erzväter« (16,25; vgl. 7,19; 18,23). Sie erhalten also doch offenbar eine himmlische Vorrangstellung, die auch dadurch zum Ausdruck kommt, daß ihre Ausdauer im Leiden sie nach dem Tod »dem göttlichen Thron nahestehen« läßt (17,18). Dies ist eine besondere Ehrung, wie ausdrücklich betont wird.

Nun hat das syrisch-antiochenische Christentum diesen Doppelaspekt (Leiden zugunsten der Gemeinschaft, Vorrangstellung des Märtyres im Sein nach dem Tode) offenbar benutzt, um die Heilsbedeutung des Todes Jesu auszusagen. Auch seine Auferstehung konnte zumindest mit Aspekten des himmlischen Vorranges der Märtyrer ausgemalt werden. In jedem Falle dokumentiert diese christologische Rezeption der genannten Märtyrervorstellung die Tatsache, daß dieselbe offenbar im frühen syrischen Christentum bekannt war. Darum ist es prinzipiell nicht auszuschließen, daß dasselbe Christentum auch das *Märtyrium eigener Glieder* mit ausgewählten Aspekten dieser Vorstellung zu verstehen versuchte. Dabei ist um der Sonderstellung Jesu willen durchweg davon abgesehen, martyriologisches Leiden von Gemeindegliedern mit soterio-

---

[17] Daß es sich dabei um eine Konkurrenzvorstellung zur Erwartung der allgemeinen Totenauferweckung am Ende der Tage handelt, betont mit Recht schon *Schürer*, Geschichte II 641f.

logischer Funktion zu versehen. Doch ist es auffällig, daß gerade der Antiochener Ignatius später seinem christlichen Martyrium sühnende Kraft zuerkennt[18] — eine Neuerung im speziell christlichen Bereich, jedoch religionsgeschichtlich nur eine Fortsetzung hellenistisch-jüdischer Märtyrerideologie. Weiter zurückverfolgt werden kann jedoch die Auffassung, den christlichen Märtyrern gebühre im Himmel ein besonderer Ehrenplatz und eine vorzeitige Aufnahme in denselben (Offb 6,9ff; 7,9ff). Ist es weiter zufällig, daß Lukas in Apg 7,59 den Märtyrer Stephanus beten läßt: »Herr, nimm meinen Geist auf«? Jedenfalls sind diese Stellen später in der alten Kirche wohl nicht zu Unrecht als neutestamentliche Belegstellen eben für diese Sonderstellung der Märtyrer angesehen worden. Ähnlich wird 1 Clem 5,4.7 den Märtyrern Petrus und Paulus eine sofortige Aufnahme in den Himmel zuerkannt. Dabei gilt sonst wie in der Apokalypse die Erwartung allgemeiner Auferstehung weiter (1 Clem 24ff).

Unter dem Gesamteindruck dieser Beobachtungen wird man die alte Streitfrage,[19] ob Paulus in *Phil 1,21-26* für sich dasselbe Vorrecht der Märtyrer erwartet, nach dem Tode unmittelbar beim Herrn zu sein, wohl doch eher positiv beantworten: Paulus ist theologisch (der wohl selbständigste) Antiochener. Paulus vertritt das Erbe der antiochenischen Theologie in bezug auf die Vorstellung des stellvertretenden Sühneleidens Christi. Der Widerspruch zwischen Phil 1,23 einerseits, wo Paulus davon spricht, nach dem eventuellen Märtyrertod unmittelbar bei Christus zu sein, und Stellen wie Phil 3,20f; 4,5 andererseits, bei denen Paulus an der allgemeinen Erwartung der Parusie Christi festhält, löst sich immer noch am besten auf, wenn man die erste Stelle martyriologisch versteht.

Wie immer man nun zu diesen Erwägungen stehen mag: In jedem Fall gibt es nicht den geringsten Beleg, daß der Tod von Stephanus und Jakobus zu irgendeiner Zeit in grundsätzlicher Weise das Problem toter Christen angesichts der uneingeschränkt geltenden Naherwartung der Parusie Christi aufwarf. Die beste hypothetische

---

[18] *Campenhausen*, Idee 71ff.

[19] Vgl. *Kabisch*, Eschatologie 301ff; *Kattenbusch*, Märtyrertod 111ff; *Dibelius*, Philipper 68ff; *Schweitzer*, Mystik 135ff; *Wasznik*, Anima 553ff; *Stuiber*, Refrigerium 74ff; *Hunzinger*, Hoffnung 73f.

Erklärung für diesen sicheren Tatbestand ist wohl doch die Sonderstellung beider als Märtyrer.

Etwas anders zu beurteilen ist ein weiterer Beleg[20] für gestorbene Christen. Er steht *1 Kor 15,6*: Paulus erwähnt, daß einige der 500 Osterzeugen bereits entschlafen seien. Nun könnte man für die Toten teilweise eventuell auch Märtyrertum voraussetzen, doch bevor man zu dieser ganz unbeweisbaren Hypothese greift, ist es ratsamer zu erwägen, ob nicht gerade diese Aussage in 1 Kor 15,6 mit der anderen in 15,51f zusammenhängt. Das will besagen: Wenn im deutlichen Unterschied zu 1 Thess 4,15-17, wo die Todesfälle die außergewöhnliche Ausnahme sind, in 1 Kor 15,51f der Proporz von Toten und Lebenden sich deutlich zugunsten der Toten verschoben hat,[21] dann könnte an dieser Veränderung gerade der Tatbestand in 15,6 mit eine Ursache sein. Wer nun immer noch darauf insistiert, daß in rund 15 Jahren urchristlicher Frühgeschichte wahrscheinlich doch wohl einige Todesfälle in den Gemeinden beklagt wurden, der soll nicht auf den Tatbestand verwiesen werden, daß eine solche Zeit ohne christliche Todesfälle in jungen Missionsgemeinden durchaus denkbar ist, vielmehr sofort zur Antwort erhalten, daß jedenfalls für den Historiker der literarisch älteste Beleg, in dem die Frage nach dem Schicksal toter Gemeindeglieder aktuell als brisantes Problem auftaucht, das wegen seiner Neuheit zur Ratlosigkeit führt, eben 1 Thess 4,13ff ist. Dieser Text steht nun zur Analyse an.

---

[20] Nicht herangezogen werden Belege wie 1 Kor 5,4f; 11,30 oder die Legende in Apg 5,1ff: Hier ist der vorzeitige Tod jeweils Gericht Gottes, also jenseits der Anfechtung für die Gemeinde. Außerdem beziehen sich die beiden Stellen aus dem 1. Korintherbrief auf die Zeit nach der dortigen Gemeindegründung, also liegen sie später als der 1. Thessalonicherbrief. Apg 5,1ff muß in seinem historischen Wert mit zumindest größter Zurückhaltung behandelt werden.

[21] Diese Differenz beider Stellen arbeitet *Klein*, Naherwartung 245-256, überzeugend heraus.

6. Die Problematik in 1 Thess 4,13ff

6.1. Die Voraussetzungen

Die Interpretation von 1 Thess 4,13ff kann von folgender bereits erarbeiteter *Voraussetzung* ausgehen: Wahrscheinlich führte überhaupt erst das aktuelle Todesproblem in Thessaloniki 49 nach Christus zur Frage nach dem Schicksal toter Christen bei der Parusie. In jedem Fall war die paulinische Missionspredigt zur Zeit seines frühen Wirkens in Europa noch nicht konstitutiv mit dem Thema »Auferstehung der Christen« verbunden, so daß die junge Gemeinde in Thessaloniki in der Tat das Problem, das tote Christen der Gemeinde aufgaben, als desorientierende eigene Erfahrung angesichts der Hoffnung, lebend bei der Parusie des Herrn dabei zu sein, ungelöst an Paulus weiterreichen mußte. Es geht in 1 Thess 4,13ff also nicht darum, ob Paulus schon vorher die Vorstellung einer Totenauferstehung kannte (beste Antwort: als ehemaliger Pharisäer natürlich!), auch nicht darum, ob die Gemeinde in Thessaloniki um solche Vorstellung wußte (wahrscheinliche Antwort: eher nein!), oder ob sie die paulinische Predigt über die Auferstehung der Toten verdrängt beziehungsweise vergessen hatte (sichere Antwort: eine abwegige Vermutung!), sondern wie sich in eine Hoffnung auf die ganz nahe Parusie des Herrn die neue Erfahrung vorzeitigen Ablebens von Christen integrieren ließ. Mit dieser dissonanten Gegenwartserfahrung steht die Hoffnung selbst auf dem Spiel, und es hängt alles davon ab, ob es Paulus gelingt, die Hoffnung erneut als Hoffnung aller Christen — der lebenden und auch der bereits gestorbenen — auszulegen. Bestünde für tote Christen keine Hoffnung, dann ginge es in der Tat um den fatalen Wettlauf zwischen individuellem Tod und der Parusie des Herrn.

6.2. Die Situation des Textes

Diese Situation ist meines Ermessens dem Text auch selbst — unabhängig von den bisherigen Erwägungen — zu entnehmen[1] und

---

[1] Die Literatur zu 1 Thess 4,13ff ist sehr umfangreich. Neben der oben vorausgesetzten Situation sind folgende Haupttypen bisher vertreten

an ihm noch präzisierbar. Die Einführungsformel Vers 13a (»Wir
wollen euch nicht im unklaren lassen, Brüder, über . . .«) zeigt
klar, daß Paulus das Problem entschlafener Christen als (mündliche)
Anfrage erhält. Der Tenor des Textes offenbart dabei die *Neuheit
und Brisanz* des anstehenden Falls.[2] Die Entschlafenen sind ausdrücklich Christen (V. 16). Ihr Sterben droht die Gemeinde denen
zuzuordnen, die die »übrigen« sind und die keine Hoffnung haben.
Von dieser Gruppe sollen sie aber sich gerade abheben! Diese Übrigen repräsentieren alle Heiden und Juden, also sämtliche Nichtchristen (4,12), die dem Zorn der Vernichtung nicht entrinnen können (1,10; 2,16; 5,10; vgl. 2 Kor 2,15). Sie haben keine Hoffnung
in dem Sinn, daß auf sie keine heilvolle Zukunft wartet. Es geht
also nicht um ihre subjektive Hoffnung, sondern um das vom christlichen Standpunkt aus gefällte Urteil, daß für sie wegen des Zornes
Gottes keine Zukunft offen ist (1,10; 2,16) — trotz ihrer möglichen

---

worden: 1. Es geht nicht um absolute Hoffnungslosigkeit, sondern nur
um das relative Benachteiligtsein bei der Parusie. Dabei ist V. 13b-14
gegen seinen Sinn an eine Auslegung von V. 15-17 angeglichen, die
zwar grundsätzlich bei Isolation vom Kontext in V. 15-17 möglich ist,
aber nicht die einzig denkbare. Für die Auslegung ist zu fordern, daß
die eine solche These ausschließenden Angaben des Kontextes in V. 13f
den nachfolgenden Text V. 15-17 aufhellen — nicht umgekehrt. 2. Paulus muß eine gnostische Auferstehungsleugnung bekämpfen, das heißt
nachdem er der Gemeinde die Auferstehungshoffnung gepredigt hatte,
haben gnostische Missionare diese zerstört. Darum ist die Gemeinde
nun ratlos. Neben vielen historischen Problemen kann diese These nicht
deutlich machen, warum Paulus nur auf Verstorbene abhebt und überhaupt V. 15-17 (sei es auch als Tradition) anfügt. 3. Paulus muß der
Gemeinde helfen, ihren im Rahmen der Naherwartung vertretenen
Auferstehungsglauben und die Todesfälle existentiell zusammenzuden-
ken. Aber im Text geht es nicht um die Schwierigkeit, Glaube samt
Hoffnung einerseits und Situation andererseits zusammenzubringen,
dann müßte zum Beispiel schon V. 13f an den unbestrittenen Glauben
mit der theoretischen Hoffnung erinnert und nicht die Hoffnung erst neu
begründet werden. Ausführlichere neuere Diskussionen dieser Grund-
thesen finden sich (in Auswahl) bei: *Wilcke,* Problem 109ff; *Hoffmann,*
Die Toten 207ff; *Luz,* Geschichtsverständnis 318ff; *Marxsen,* Auslegung 22ff; *Spörlein,* Leugnung 122ff; *Siber,* Christus 23ff; *Harnisch,*
Existenz 19ff; *Klein,* Naherwartung 243f.
[2] Im einzelnen vgl. dazu *Klein,* Naherwartung 246 Anm. 23.

eigenen Erwartungen. Anzumerken ist endlich, daß die Aussage in 4,5 »die Heiden, die Gott nicht kennen« und diese Charakteristik in 4,13 »die übrigen, die keine Hoffnung haben« kaum zufällig dem zweiteiligen Predigtschema in 1,9f entsprechen. Eph 2,12 sind typischerweise beide Angaben gepaart: »die keine Hoffnung haben und gottlos sind«. Die paulinische Ausdrucksweise verdankt sich also wohl einer Sprachprägung, die der Typik der Missionspredigt entspricht. So ergibt sich: Tote Christen sind erschreckenderweise im Verständnis der Gemeinde doch wiederum in die Hoffnungslosigkeit gestellt, die für Nichtchristen Zustandsbeschreibung ist. Trotz ihres Christseins und der damit verbundenen Anwartschaft auf heilvolle Zukunft bei der Parusie geraten diese Verstorbenen fatalerweise durch ihren Tod in dieselbe Situation wie die Heiden, weil sie als Tote an der Parusie nicht teilnehmen können. Darum ist diese Gemeinde insgesamt »betrübt«, das heißt ihre Situation trägt das Merkmal: hoffnungslos, weil Hoffnung nur für lebende Christen da ist, jeder aber vor der Parusie noch sterben kann. Also muß Paulus diese »Betrübnis« beseitigen, indem er auch toten Christen — nur um diese kann es gehen — Zukunft begründet zuspricht.

Dies geschieht zunächst in einem *selbständigen ersten Gedankengang* in Vers 14: »Denn wenn wir glauben: Jesus starb und ist auferstanden, so wird auch Gott die Entschlafenen durch Jesus mit ihm führen«. Dieses Argument hat für Paulus deutliche Prävalenz gegenüber dem zweiten, das danach folgt (V. 15-17), weil es diesem vorgeordnet ist und Paulus sich dabei auf die Argumentationsweise stützt, die er auch sonst bevorzugt, nämlich auf den *Schluß vom Glauben(sbekenntnis) auf die Hoffnung*. Die Autorität des Bekenntnisses und der nicht bestrittene Konsens in bezug auf es ist geeignete Basis, aus nicht umstrittener Übereinstimmung heraus überzeugend zu argumentieren. Der Gedankengang läßt sich so paraphrasieren: Unser gemeinsamer Glaube hat den Inhalt: Jesus ist gestorben und auferstanden. Dabei ist es für die Argumentation gleichgültig, ob direkt eine Glaubensformel zitiert wird oder nur (viel wahrscheinlicher) ihr Inhalt gerafft repetiert wird.[3] Dieser

---

[3] Vgl. dazu die Beobachtungen bei *Siber*, Christus 23ff.

Glaube bedeutet:[4] Gott hat den toten Jesus auferstehen lassen. Daß Paulus diesen Sinn der formelhaften Wendung beilegt, ergibt sich zwingend aus dem nächsten Satz, in dem Gott selbst Subjekt des Auferstehungshandelns ist. Jedenfalls nimmt er gerade nicht an, daß Christi Auferstehung seine »Eigenleistung« ist. Ebensowenig ist das Mysterien-Denkschema benutzt, denn die Gläubigen partizipieren nicht am Schicksal Jesu — im Unterschied zum Beispiel zu Röm 6 fehlen alle entsprechenden Aussagen (»mitsterben«, »mitauferstehen«),[5] und dem Satz »Jesus starb und stand auf« ermangelt es an einem vorangestellten »so wie«, das dann im Nachsatz aufgenommen wäre —, sondern Jesu Schicksal ist Aufweis der göttlichen Macht über den Tod, die Gott auch an verstorbenen Christen bewähren kann und wird. Der Gedankenkontext ist also das aus Röm 4,17 bekannte Gottesbild, das Paulus aus seiner jüdischen Vergangenheit kennt.[6] Das bedeutet grammatisch: Das Verb des Auferstehens hat für Paulus passivischen Sinn wie in Vers 16.

Wenn dieser Glaube aus Vers 14a Geltung hat, dann also — und nun müßte es eigentlich heißen: — können auch wir hoffen, daß Gott die entschlafenen Christen auferweckt. Jedoch weisen hier erstmals in der Satzperiode Stil und Gedankengang eine Inkonzinnität auf. Paulus schreibt: »... so wird auch Gott die Entschlafenen ... mit ihm führen« offenbar, um Gott eine vorrangige Bedeutung in dem Argument einzuräumen. Doch eine zweite Merkwürdigkeit folgt sogleich: Statt von der Auferstehung der Christen ist in einer

---

[4] Im folgenden wird gegen *Wengst*, Lieder 45f, diskutiert.

[5] Von der Gemeinschaft mit Christus ist im 1. Thessalonicherbrief an drei Stellen gesprochen: 4,14b.17c; 5,10b. Sie sagen nichts über eine soteriologische Partizipation an der Schicksalsgemeinschaft der Gottheit aus, sondern über das futurisch-apokalyptische Zusammensein von Heilsgarant und Gemeinde, stehen also statt im mysterienhaften Kontext im apokalyptischen Weltbild. M. E. ist überhaupt die These aufzustellen, daß zur Zeit des 1. Thessalonicherbriefs Paulus oder seine Tradition das »mitsterben« und »mitauferstehen« noch nicht theologisch verarbeitet hat. Wäre das der Fall gewesen, hätten Paulus und die Gemeinde sich 1 Thess 4,13ff nicht so schwer getan. Folgerung: Auch das Taufverständnis unterliegt bei Paulus einer Entwicklung.

[6] Dazu vgl. *Hofius*, Parallele 93f. Vgl. sachlich noch 2 Kor 1,9; Hebr 11,19; Joh 5,21; Mk 12,26f.

völlig aparten Formulierung davon die Rede, daß Gott die Entschlafenen »(in Gemeinschaft) mit ihm (das heißt Christus) führen
wird«. Das heißt doch: Der Primärhorizont der Heilserwartung,
mit dem Herrn bei der Parusie zusammenzusein (V. 17), setzt sich
noch selbst dort durch, wo das neue Thema der Totenauferweckung
auf der Tagesordnung steht. Erst später — in Vers 16 — wird
Paulus auch direkt von der Auferstehung der Christen reden, so
sicher er sie hier natürlich voraussetzt. Der Satz enthält aber noch
eine dritte sprachliche und sachliche Schwierigkeit: »durch Jesus«
ist als ad-hoc-Bildung zwar wohl zum nachfolgenden Verb zu
ziehen und als christologische Komponente beim futurischen göttlichen Handeln an den Entschlafenen anzusehen, wie heute meistens
vertreten, und ist demzufolge nicht eine Umstandsbestimmung der
Entschlafenen. Jedoch ist der Sinn sehr vage. Man kann darin einen
Verweis auf Christi Heilstat sehen, kann dann aber nicht erklären,
warum der Heilssinn nicht dort ausgesagt ist, wo bekenntnisartig
(V. 14a) von Kreuz und Auferstehung gesprochen wurde. Näher
liegt es, in dieser Wendung eine Kurzfassung von Vers 16a.b zu
sehen (Christi Herabkunft als Mittel der Vereinigung), wie ja auch
das nachfolgende Verb seinerseits die Verse 16c-17 gerafft signalisiert.[7]

Trifft diese Auslegung die paulinische Intention, *ergibt sich* zweierlei: Einmal zeigt die unbeholfene sprachliche Form, wie ungewohnt
dem Apostel noch solche Antwort ist. Er hat noch keine traditionelle mit sprachlicher Sicherheit vorzutragende Antwort parat.[8]
Zum anderen: Paulus formuliert schon im Blick auf die Verse 15-17.
Die dort verarbeitete Tradition soll von vornherein eingearbeitet
werden. Typisch für die paulinische Theologie ist nur, daß er damit
nicht einsetzt. Vorrangig ist die für ihn spezifische Argumentation
vom Bekenntnis her, so schwer sie ihm auch in diesem Fall fällt,
da er Neuland betritt.[9]

---

[7] Diskussionsstand und Begründung für diese These bei *Siber*, Christus
26ff.

[8] Dies hebt *Klein*, Naherwartung 246 Anm. 23, mit vollem Recht hervor.

[9] *Müller*, Prophetie 220ff, möchte in V. 13f Elemente eines prophetischen
Heilsorakels wiedererkennen. Dies ist möglich, bleibt aber hypothetisch.

6.3. Das Herrenwort in den Versen 15-17

Mit den Versen 15-17 folgt ein *zweiter Argumentationsgang* (wie V. 14 ein erneutes »denn«). Er besitzt eine gewisse Selbständigkeit, weil die Autorität des »Herrenwortes«, von der her er sein Gewicht erhält, ein gegenüber dem Bekenntnis Vers 14a eigenständiges Valutum vorzuweisen hat. Dabei ist als Arbeitshypothese anzunehmen: Der Grundstock des »Herrenwortes« war die der Gemeinde bekannte Erwartung. Sie muß dann aber mit 1,9f; 5,9f.23f deckungsgleich sein und gerade das Auferweckungsthema noch nicht enthalten haben. Dies führt dazu, Vers 15, die Überleitung zu Vers 16 und Teile aus Vers 16c.17a sowie den Schluß Vers 17 der paulinischen Feder zuzuweisen. Somit ergibt sich als *Grundstock:*

> Der Kyrios wird mit (dem) Befehlswort,
> (also) mit dem Ton des Erzengels und (das heißt auf) der Posaune
>   Gottes,[10]
> vom Himmel herabsteigen. (. . .)
> Und wir werden auf Wolken entrückt werden
> zur Begegnung des Kyrios in der Luft.

Allgemein zugestanden wird heute, daß der Schlußsatz (»Und so werden wir immer mit dem Herrn zusammensein«) von Paulus stammt. Er ist abschließende Konsequenz des paulinischen Gedankens und steht sprachlich wie sachlich Vers 14b nahe. Einer ähnlich breiten Übereinstimmung erfreut sich die Zuweisung von Vers 15 an den Apostel. Der Vers nimmt das für den Zusammenhang wichtige Ergebnis als headliner vorweg: »Wir, die Lebenden, die wir zur Parusie des Herrn übrig bleiben,[11] werden den Entschlafenen nicht zuvorkommen«. So erklärt sich auch das doppelte »daß« in Vers

---

Die oben vorgetragene Auslegung bleibt von dieser Annahme unberührt.

[10] Das Befehlswort besteht im Blasen der Posaune Gottes durch den Erzengel. Vgl. u. a. Mt 24,31; OrSib 4,17f. Einzelnes bei *Siber*, Christus 46ff.

[11] Es wäre denkbar, daß Paulus den Ausdruck »übrig geblieben« aus apokalyptischer Tradition bereits kannte, vgl. zu ihm 4 Esra 13,16-19. 22f.26.

14b und Vers 15 (hier rezitativ!).[12] Wenn anders nun bisher allein davon gehandelt war, ob die Entschlafenen überhaupt an der Parusie teilnehmen können oder — im Gefolge der bisherigen Tradition — nur die Lebenden, muß dem Verb in Vers 15 eine grundsätzliche Bedeutung als Qualitätsaussage zuerkannt werden: Das heißt, die Feststellung, »nicht zuvorkommen«, regelt nicht auf dem Hintergrund eines quantitativen zeitlichen Mehr oder Weniger an Teilnahme das Gleichgestelltsein aller in bezug auf die zeitliche Erstreckkung. Vielmehr steht die Aussage gegen einen vorausgesetzten exkludierenden Sinn, so daß die offene Alternative eines Dabeiseins oder Nichtdabeiseins zugunsten der Teilnahme aller entschieden wird.[13] Alles andere wäre auch im Rahmen der gesamten paulinischen Eschatologie schlechterdings nicht unterzubringen.

Paulinisch sind weiter die Verse 16c.17a: »Die Toten in Christus werden auferstehen zuerst, danach wir, die Lebenden als Übriggebliebene zusammen mit ihnen . . .«. Der Stil dieses Stückes ist situativ und argumentierend genau wie in 4,13-15 und steht im Unterschied zur angenommenen Tradition der Verse 16b.17b, die beschreibend eschatologische Heilszusicherung bringt. Die letzte Phrase dieses Zusatzes steht nochmals 5,10. »In Christus« ist nicht nur gut paulinisch, sondern auch auffällig, weil im Kontext sonst »Kyrios« steht. Das Verb »auferstehen« ist identisch mit dem in der zusammengefaßten kerygmatischen Formel Vers 14a. Der syntaktische Zusammenstoß von »zuerst, danach« ist nicht besonders glücklich. Die Charakteristik: »wir, die Lebenden, die Übriggebliebenen« steht so auch in Vers 15. Umgekehrt fällt auf, daß in dem danach verbleibenden Restbestand nichts mehr direkt auf Paulus verweist, hingegen manches eindeutig traditionell ist. Endlich ist noch der Hinweis angebracht, daß wie in Vers 14 Gott als der Handelnde vorgestellt ist.

Nunmehr können auch *Gattung und gedankliche Struktur* der Tradition bestimmt werden. Es handelt sich um eine apokalyptische urchristliche Heilsansage, die wegen ihres »Wir« im zweiten Teil

---

[12] Der sprachliche Befund stützt diese Zuweisung, vgl. dazu *Siber*, Christus 36f, und *Luz*, Geschichtsverständnis 228f.

[13] Für diese Lösung plädiert *Harnisch*, Existenz 27f, mit Recht, nur vermag ich seiner religionsgeschichtlichen Folgerung nichts abzugewinnen.

(vgl. 1,10) ein Predigtspruch der Gemeinde sein kann. Ein drei-
gliedriger erster Satz beschreibt die Herabkunft des Herrn. Jüdische
Apokalyptik und speziell Menschensohntradition (Herabkommen
vom Himmel) stehen im Hintergrund. Der Menschensohntitel fehlt.
Der Kyriostitel weist unter anderem den Hellenisierungsprozeß
der Tradition aus. Man darf darum antiochenische Gemeindetradition vermuten, die Paulus aus der letzten Phase seiner Zugehörigkeit zu dieser Gemeinde kennt und als solche in seinem Missions-
vortrag verwendet. Ein zweiter Satz beschreibt exklusiv den Heilssinn dieses Ereignisses für die jetzige Gemeinde. Das alles stimmt
auffällig mit 1,10 überein. In der Naherwartungssituation steht der
Gemeinde die Entrückung auf den Wolken des Himmels als Fahr-
zeug zur Begegnung mit dem Herrn in der Luft unmittelbar bevor.
Nun wird man in der Luft kaum den Heilsort ansetzen dürfen.
Das widerspricht allgemein urchristlicher Tradition. Also muß man
daran denken, daß nach der Begegnung alle in den Himmel auf-
fahren oder auf die Erde kommen. Selbst wenn der Text topo-
graphisch erneut sorglos ist, weil er den Heilssinn in den Vordergrund rückt, wird man doch diese alte Streitfrage zugunsten der
Erde lösen sollen,[14] fällt doch auf, daß das von Johannes dem
Täufer bis 1 Thess 1,9f verfolgte wenig variable Weltbild auch
4,16f (Grundstock) gut paßt: Die Naherwartung, die Herabkunft
des Herrn zum Heil der Gemeinde, der Herr als Heilsgarant seiner
Gemeinde und die Ausklammerung des ausgemalten Endgerichts,
der kosmischen Katastrophen, der Totenauferweckung usw. erweisen doch dieses eine: 4,16f (Grundstock) illustrieren ausgezeichnet
1,10.

Setzt man nun, daß im Sinne von 1,10; 4,16f (Grundstock); 5,23f
die Gemeinde in Thessaloniki belehrt war, dann wird klar, warum
tote Christen ihr zum Problem wurden und warum Paulus daraufhin — wollte er im Sinne dieser Tradition weiterreden — sie um
das Thema der Totenauferweckung erweitern mußte. Genau dies
tut er. Und diese Erweiterung steht nach ihm unter der Autorität
des Herrn: »Das sagen wir euch mit einem *Wort des Herrn*«

---

[14] Dann entspricht die Entrückung dem »Einholen« des Herrn. Vgl. dazu
Peterson, Einholung 682ff; *ders.*, in: ThWNT I 380.

(V. 15a). Über den Sinn dieses Ausdrucks ist viel gerätselt worden.[15] Absichtsvoll soll über ihn nun erst am Schluß gesprochen werden, nachdem die Analyse und ihre Ergebnisse vorliegen. Die Bestimmung des Ausdrucks kann nun von dieser Basis ausgehen. Paulus kennt eine apokalyptische Heilsansage für die Gemeinde. Angesichts der konkreten Problemstellung in Thessaloniki reicht diese Tradition nicht mehr aus. Mit Berufung auf die erfahrene Offenbarung vom Herrn erweitert er die Tradition, damit steht sie jetzt insgesamt unter der Autorität des Herrn. Im Verlassen auf diese Autorität kann die Gemeinde mit Paulus den Weg der Erweiterung der Hoffnung gehen. So soll sie sich mit diesen Worten (das heißt mit V. 14 und 15-17) gegenseitig trösten (V. 18). Zugleich bedeutet das: Für Paulus ist die Erweiterung der traditionellen Parusieerwartung so tiefgreifend, daß er sich nicht von sich allein getraut, dies zu tun.

Damit kann *abschließend* festgehalten werden: 1 Thess 4,13ff zeigt, nachweislich zum ersten Mal in der Geschichte des Urchristentums, wie aufgrund einer aktuellen Gemeindesituation das Problem toter Christen aufgearbeitet wird. Die traditionelle Parusieerwartung wird dabei von Paulus erweitert, indem die Auferstehung der (wenigen) toten Christen, deren Tod angesichts der allgemeinen Hoffnung auf baldiges Kommen des Herrn als Ausnahme gilt, aufgrund eines Analogieschlusses vom auferweckenden Handeln Gottes an Jesus auf das Handeln Gottes an den gestorbenen Christen erhofft wird, damit alle Christen gemeinsam beim Herrn sein können. Im übrigen verändert Paulus an der Heilserwartung mit ihren weltbildhaften Elementen, wie sie im Predigtschema 1 Thess 1,9f stehen, noch nichts.

---

[15] Vgl. zur Diskussion *Hoffmann*, Die Toten 218ff; *Siber*, Christus 39ff; *Luz*, Geschichtsverständnis 327f; *Henneken*, Verkündigung 73ff; *Müller*, Prophetie 223ff.

7. Taufe und Auferstehung

Mit der paulinischen Lösung der Frage nach dem Schicksal verstorbener Christen in 1 Thess 4 ist freilich wohl nicht die einzige damalige Möglichkeit aufgewiesen, die Mittel bereitstellte, um diesem Problem die den Glauben und die Hoffnung bedrohende Wirkung zu nehmen. Vielmehr ist wahrscheinlich unabhängig und neben Paulus von einer bestimmten *Konzeption der Tauftheologie* her auch ein anderer Weg beschritten worden, um Hoffnung und Auferstehung zu begründen, nämlich von der Auffassung her, in der Taufe ereigne sich »Mitsterben« und »Mitauferstehen« mit Christus.

Sowohl die Interpretationsgeschichte der Taufe überhaupt als auch gerade die Anfänge dieser speziellen Tauftheologie sind nicht leicht aufzuhellen, da der Historiker hier nicht von so vergleichsweise sicheren Textbelegen wie 1 Thess 4,13ff ausgehen kann. Die folgenden Ausführungen enthalten darum auch etwas mehr Konstruktion mit Vermutungscharakter. Umgekehrt lohnt sich das hier notwendige Maß an Hypothetik um des erreichten Zieles willen. Wer an wenigen Stellen der urchristlichen Geschichte nicht den Mut zu solcher Hypothetik aufbringt, muß oft auf Erklärungen ganz verzichten, beim Fragmentarischen stehenbleiben und dann eben auch von einer Gesamtdeutung der Phänomene absehen.

Ereignet sich in der Taufe die *soteriologische Partizipation an Tod und Auferstehung Christi,* dann ist damit der Heilsindikativ, also der präsentische Heilsstand der Christen, prononciert zum Ausdruck gebracht. Die Möglichkeit zu solcher betont gegenwärtig-eschatologischen Heilsaussage bei der Taufe setzt einerseits — was nicht bestritten werden sollte — voraus, daß man sich im direkten oder indirekten Einflußbereich der hellenistischen Mysterienreligionen befindet,[1] denn in ihnen ist die im Kult erfahrene Anteilhabe

---

[1] Mit vollem Recht hat man den Versuch von *Wagner,* Problem, den Einfluß der hellenistischen Mysterienreligionen auf die neutestamentliche Taufauffassung zu bestreiten, in der Regel abgelehnt. Vgl. nur *Gäumann,* Taufe 38ff; *Wengst,* Lieder 39f.

am Schicksal der Gottheit das konstitutive Element der präsentischen Heilsübereignung schlechthin. Andererseits müssen natürlich auch theologiegeschichtliche Voraussetzungen der Christentumsgeschichte erfüllt sein, damit man sich überhaupt zu solchen Aussagen verstehen kann. Fragt man, um diesen Zusammenhang zu verfolgen, nach zugespitzten präsentischen Heilsaussagen bei der Taufe und demzufolge bei der Auslegung der ekklesiologischen Situation, so stößt man auf eine gut eingrenzbare formelhafte Aussagenreihe, deren älteste Verwurzelung wohl in der antiochenisch-syrischen Theologie zu finden ist und deren Verästelung wahrscheinlich vornehmlich nach Korinth weist.

In der paulinischen Zeit der *antiochenischen Gemeindegeschichte*[2] hatte man offenbar die Einheit der Gemeinde »in Christus« verstanden als nivellierenden Faktor für die bis dahin heilsgeschichtlich fundamentale Trennung zwischen Juden und Heiden. Damit hatte man den *Heilsweg des Gesetzes* als konstitutive göttliche Norm für die gesamte Geschichte *abrogiert*: Das Sein in Christus hat nun eine solche eschatologische Qualität, daß mit seiner Geltung das Gesetz aufgehoben ist (vgl. Gal 2,16a; 3,28a; 5,6; 6,15). Der eschatologische Heilsstand als betont präsentischer kommt in seiner Eigenschaft als ursächliche Begründung für die Abrogation des Gesetzes dort besonders deutlich zum Tragen, wo »in Christus« als »neue Schöpfung« verstanden ist wie Gal 6,15. Man muß in der Tat fragen, was eine solche Aussage noch in der Dimension der Hoffnung beläßt. Die Antwort darauf wird im Zusammenhang der unmittelbaren Parusieerwartung, wie sie 1 Thess 1,9f auch gerade für die antiochenische Zeit des Paulus bezeugt ist, so zu geben sein, daß an der Vollendung im wesentlichen nur noch die unmittelbare Präsenz des kommenden Herrn fehlt.

Vielleicht hat man im frühen Antiochia das eschatologische Situationsbewußtsein in dem hier anstehenden Zusammenhang überhaupt nur in bezug auf die Absetzung des Gesetzes formuliert.[3]

---

[2] Da der folgende Sachzusammenhang nur mittelbar mit dem Thema zu tun hat, wird auf eine ausführliche Begründung verzichtet. Man findet sie in *J. Becker*, Galaterbrief z. 2,11ff; 3,26ff.

[3] Jedenfalls ist für diesen Fall wirkliche Sicherheit vorhanden aufgrund der Thematik des Apostelkonvents (Gal 2,1ff; Apg 15) und des an-

Möglicherweise ist man aber auch schon hier darüber hinausgegangen. In jedem Fall wird man wahrscheinlich für die Zeit der *frühen korinthischen Gemeinde* konstatieren können, daß damals schon weiter verbreitet im Zusammenhang von Taufe — Geist — Leib Christi nicht nur der Gegensatz Jude — Heide als aufgehoben galt, sondern ebenso neben dieser heilsgeschichtlichen Differenzierung auch die soziologische von Sklaventum und Herrentum,[4] wie endlich noch die schöpfungsmäßige von Mann und Frau in der christlichen Gemeinde als eschatologisch überholt galten (1 Kor 12,12f; 7,19; 11,4f[5]; vgl. Kol 3,11). Jedenfalls wem so massiv wie in 1 Kor 4,8 das *eschatologische Vollendungsbewußtsein* zugesprochen wird, dem sind solche Aussagen wie auf den Leib geschneidert.

Aufgrund dieses Teilergebnisses kann nun die umfangreichste geschlossene Tradition, die in diesen Zusammenhang gehört, als kennzeichnend unter anderem für das korinthische Milieu angesprochen werden. Sie steht *Gal 3,26-28*[6] und lautet:

> Alle seid ihr Söhne in Christus Jesus.
> Denn alle, die ihr auf Christus Jesus getauft seid,
> habt Christus angezogen.
> Da ist nicht Jude oder Grieche,
> nicht Sklave oder Freier,
> nicht Mann oder Frau.
> Denn alle seid ihr einer in Christus Jesus.

Taufe gerät hier unter den Aspekt nahezu *identifikatorischer Verschmelzung mit Christus*. Das »Anziehen Christi« ist symbolträchtiger Ausdruck für die Vereinigung mit dem Herrn, in der tendentiell Subjekt und Objekt nicht mehr eindeutig getrennt sind. Die Anschauung der hellenistischen Mysterienreligionen zeigen ihre religionsgeschichtliche Patenschaft. Anzumerken ist dabei, daß von

---

tiochenischen Zwischenfalls in Gal 2,11ff.

[4] Paulus muß 1 Kor 7,20ff ausdrücklich darlegen, daß Sklaven sich nicht mit christlicher Begründung selbst befreien sollen. Im einzelnen vgl. *Gülzow*, Christentum 55f.

[5] 1 Kor 14,34f stehen zu 11,4f in so deutlichem Gegensatz, daß man dem verbreiteten Urteil, die Gemeindeordnung aus 14,34f sei in der korinthischen Korrespondenz sekundär, nur zustimmen kann.

[6] Dazu vgl. speziell *H. D. Betz*, Geist 80ff, und *J. Becker*, Galaterbrief z. St.

Christus nicht sein Todesgeschick ins Blickfeld gerät, sondern er ist als der erhöhte Sohn und Repräsentant der neuen Schöpfung verstanden. Die Gemeindeglieder sind Söhne aufgrund des Anteils an seiner Sohnschaft, wie das Grundmotiv in der unmittelbar darauf verarbeiteten Sendeformel erklären hilft: »Gott sandte seinen Sohn, von einer Frau geboren, . . . damit wir die Sohnschaft erlangten« (Gal 4,4f). Diese Söhne sind die mit Geist begabten, die das »Abba!« rufen (4,6). Daß dieser gesamte Zusammenhang ein traditionsgeschichtlich geschlossener ist, zeigt Röm 8,12ff. Sohnschaft der Christen ist also konstituiert durch das »Anziehen Christi«. Die Realisation dieses Symbols liegt in der untrennbaren Einheit der geistbegabten Christen mit dem himmlischen Pneuma des Erhöhten. Pneumatisches Einssein mit dem himmlischen Christus bedeutet zugleich, den unmittelbaren Zugang zu Gott zu haben.

So ist man sehr real den vorhandenen Relationsbezügen dieser Welt enthoben. Man darf sich nun nicht mehr verstehen unter der heilsgeschichtlichen Bedingung von Judentum und Heidentum, unter der soziologischen von Sklaventum und Herrentum und unter der geschöpflichen von Männlichkeit und Weiblichkeit. Die neue Einheit in Christus schließt solchen Rückfall in die alte Schöpfung aus. Es fehlt eigentlich nur eine einseitige Akzentuierung, nämlich die Tendenz auf volle Identifikation zu betonen, und der dazugehörige Appell, demonstrativ die weltlichen Bezüge zu verachten, und man steht nahe bei den Mißbräuchen in Korinth.

7.2. AUFERSTANDEN MIT CHRISTUS

Zu den weltlichen Bedingungen gehört gerade im Hellenismus das Ausgeliefertsein an die Vergänglichkeit und an den Tod. Wie eine soteriologische Überwindung von Tod und Vergänglichkeit sich gerade in dem eben aufgewiesenen Zusammenhang ausmacht, kann vor allem am deuteropaulinischen Kolosserbrief vorgeführt werden.[7] In Abwehr der Irrlehre in Kolossä, deren Diskussion hier ausgeblendet werden muß, schreibt der unbekannte Paulusschüler: »In ihm wohnt die ganze Fülle der Gottheit leibhaftig, und in ihm

---

[7] Für das folgende vgl. vor allem *Brandenburger*, Auferstehung 16ff.

habt ihr an dieser Fülle Anteil. Er ist das Haupt aller Herrschaft und Macht. In ihm seid ihr beschnitten mit einer Beschneidung, die nicht von Menschenhand stammt. Denn durch diese Christus-Beschneidung habt ihr euren Fleischesleib (wie ein Kleid) ausgezogen. In der Taufe seid ihr begraben mit ihm, in ihr auch (zugleich) mit (ihm) auferstanden durch den Glauben an die Macht Gottes, der ihn von den Toten auferweckt hat. Ihr wart tot durch eure Sünden und durch eure Unbeschnittenheit des Fleisches, (doch) er hat euch mit ihm zusammen zum Leben auferweckt und euch alle Sünden vergeben« (Kol 2,9-13). Nach diesen Aussagen ist *Auferstehung als Anteilhabe an der Herrschaft Christi* bereits erfolgt. Die Enthebung aus den weltlichen Bedingungen bezieht sich also nicht nur auf die überholte Differenzierung von Jude — Heide, Sklave — Freier (usw., vgl. Kol 3,11), sondern auch auf das Todesschicksal. Der Anteil an dem Herrscher, in dem die Fülle der Gottheit leibhaftig wohnt, bedeutet das Ausziehen des sterblichen Fleischesleibes in der Taufe (beachte abermals die Gewandsymbolik!) und das Auferwecktsein mit ihm, also den eschatologischen Heilsstand jenseits des Todes. Die Auferstehung ist Heilsperfektum, eschatologisches Leben Inhalt des Heilsindikativs, nur ist es noch verborgen und soll dann — damit wird der allein noch verbleibende Inhalt der Hoffnung angegeben — mit dem Erscheinen Christi offenbar werden (3,1-4). So erstreckt sich die Hoffnung nicht mehr auf ein neues Sein, sondern nur noch auf dessen fehlendes Attribut des Offenbarseins als Aufhebung des Zustandes der jetzigen Verborgenheit. Ein Christ, der bereits jetzt Anteil »am Erbe der Heiligen im Licht« hat und damit schon »der Macht der Finsternis entrissen und in das Reich seines lieben Sohnes versetzt« ist (1,12f), kann in der Tat nicht mehr davon sprechen, daß der letzte Feind, der Tod, noch zu überwinden ist (vgl. 1 Kor 15,26). Die strukturelle Nähe dieser Aussagen zur Erlösungslehre, wie sie in dem Schlagwort 2 Tim 2,18 zum Ausdruck kommt: »Die Auferstehung ist bereits geschehen«, ist nicht zu übersehen.

Nun gehören diese Belege, die ihrer Struktur nach durch den Epheserbrief und das 4. Evangelium[8] vermehrt werden können, alle in

---

[8] Vgl. Eph 2,5f; 5,14. Zum Johanesevangelium vgl. unten 10.1. bis 10.4.

die dritte Generation und nicht in die Zeit des Paulus unmittelbar nach seinen Ausführungen in 1 Thess 4. Aber es ist zu fragen, ob diese nachpaulinischen Taufaussagen, die einer identifikatorischen Partizipation des Christen an Tod und Auferstehung des Herrn das Wort reden, nicht bis in die paulinische Zeit in bezug auf diesen Grundgedanken zurückverfolgt werden können.[9] Diese Frage läßt sich wohl doch mit hoher Wahrscheinlichkeit bejahen. Der Typ des sterbenden und auferstehenden Gottes ist insbesondere den hellenistischen Mysterienreligionen bekanntlich vertraut. Ihre christliche Rezeption durch und neben Paulus ist soeben für Gal 3,26-28 und verwandte Aussagen schon für einen bestimmten Fall festgehalten worden. Aber bei dieser allgemeinen religionsgeschichtlichen Feststellung braucht man nicht stehenzubleiben.

Im *Römerbrief*, den Paulus von Korinth aus versendet, deutet der Apostel in *6,1ff* die Taufe ausdrücklich als ein Mitsterben und Mitauferstehen mit Christus. Dabei gehört für Paulus das Mitsterben zu den Heilsperfekta, die Gabe des eschatologischen Lebens allerdings noch zum Hoffnungsgut. Von einem »Mitauferstandensein« des Christen kann vorerst nur so gesprochen werden, daß auf den neuen Wandel verwiesen wird. So wird die Lebensgabe gleichsam aufgespalten in das noch zu erhoffende endgültige Leben im Eschaton bei Christus und Gott und in die bereits erlangte Möglichkeit zum neuen Wandel nach dem Mitsterben mit Christus in der Taufe. Diese für Paulus typische Differenzierung ist allerdings in bezug auf den eigentlich zu erwartenden Grundgedanken eine sekundäre Veränderung. Demzufolge trägt diese Alterierung die sachliche Inkongruenz in der Analogie von Christi Geschick als Tod und Auferstehung und von der Einbeziehung der Christen in dieses Geschick allzu direkt auf der Stirn, als daß sie verborgen bleiben könnte. Eigentlich wäre der Gedanke in 6,3ff schlüssig, wenn der Text lauten würde: »Diejenigen, die auf Christus Jesus getauft sind, sind in seinen Tod hinein getauft. So sind wir durch die Taufe mitbegra-

---

[9] Dies verneinen u. a. *Dinkler*, Art.: Taufe II. Im Urchristentum, in: RGG ³1962, VI 633f; *Gräßer*, Kolosser 3,1-4: 133ff; *Siber*, Christus 191ff. Dies beurteilen positiv u. a. *Lohse*, Taufe 314 Anm. 19; *Käsemann*, Wille 31ff; *Gäumann*, Taufe 47ff; *Brandenburger*, Auferstehung: passim.

ben mit ihm in seinen Tod hinein. Und wie Christus von den Toten auferweckt wurde durch die Herrlichkeit des Vaters, so sind auch wir auferweckt worden mit ihm. Denn wenn wir seinem Tode eingepflanzt und gleichgestaltet wurden, dann sind wir es auch in bezug auf seine Auferstehung«.

7.3. Aspekte korinthischer Theologie

Nun ist allerdings kein aktuelles Anzeichen auffindbar, das in Röm 6,1ff direkte Polemik gegen eine Vorstellung vermuten lassen könnte, die die Analogie Christus — Christen im Sinne einer dem mysterienhaften Denken der vollen Partizipation am Geschick Christi einschließlich seiner Auferstehung in sachlich konsequenter Weise verstand und theologisch vertrat. Das könnte zu dem verallgemeinernden Urteil Anlaß geben: Die frühe Christenheit hat überhaupt nur in der paulinischen Weise mysterienhaftes Denken rezipiert, also immer nur sehr gebrochen unter dem eschatologischen Vorbehalt noch ausstehender Vollendung. Aber wer sagt denn, daß, was zunächst nur für Rom Geltung hat — nämlich keine Theologie der Heilsvollendung zu vertreten —, nicht an anderen Orten sehr wohl auf der theologischen Tagesordnung stand? Wäre es nicht denkbar, daß Paulus erst nach eindrücklicher Auseinandersetzung mit einer solchen Position sich in die Lage versetzt sah, seine Taufauffassung so unmittelbar in Anlehnung an die Mysterienreligionen bei gekonnter und treffsicherer gleichzeitiger Formulierung der Differenz zu ihnen sachlich darzustellen?

Jedenfalls kann man unter Verweis auf 1 Kor 10,1ff behaupten, daß Paulus gerade die Korinther ermahnen muß, von den Sakramenten nicht so viel zu halten, daß diese magisch-zwanghaft, ihrem Wesen nach unwiderstehlich und ohne Rücksicht auf die noch irdische christliche Existenz und ihren Wandel, der auch mißraten kann, in die nicht mehr revidierbare Heilsvollendung versetzen. Die *Sicherheit des vollen Heilsbesitzes* wird gerade auch 1 Kor 4,8 zurückgewiesen. Es gibt also nicht nur keinen Beweis für die Schlüssigkeit der Verallgemeinerung von Röm 6 auf das gesamte frühe Christentum der ersten Generation, sondern Gegenbeweise, die geradezu eine Position voraussetzen, die Paulus zu einer sachlich ähnlichen

Kritik zwingen, wie er sie nur indirekt und nicht unmittelbar polemisch, nämlich in stillschweigender Zerstörung des eigentlichen Analogieverhältnisses, in Röm 6,3ff vorträgt. So kann man also mit guten Gründen Röm 6 als Ergebnis einer vorher ausgetragenen Auseinandersetzung mit der korinthischen Theologie verstehen. Wer die Sachlage so einschätzt, muß dann konsequenterweise die von Paulus umgangene glatte Analogie, wie sie hinter Röm 6,3ff steht, bei den paulinischen Gegnern in Korinth beheimatet sein lassen.

Dabei hatte es der Apostel in diesem Falle nicht ganz leicht, denn auch er vertrat — wie wohl die damalige Christenheit überhaupt — den Standpunkt, Christen könnten nicht vom Endheil ausgeschlossen werden. Darum kann zum Beispiel der sogenannte Blutschänder nach 1 Kor 5,1ff zwar dem Satan übergeben werden, aber nur mit dem Ziel, daß dadurch sein Geist am Gerichtstag des Herrn gerettet wird. Die Korinther deuten diese unbedingte christliche Heilszuversicht mit Hilfe ihrer theologischen Anschauung nur zu einer *enthusiastischen Heilspräsenz* um. Wenn für sie der ekstatische Ruf »Herr (ist) Jesus« 1 Kor 12,3 die direkte Identifikation des Christen mit dem erhöhten Herrn und seiner weltüberlegenen Herrschaft bedeutet, dann verstehen sie den Geist als Ermächtigung zur Partizipation an dem schon vollendeten Herrschaftsantritt des Herrn. Diese identifikatorische Einheit mit dem Erhöhten läßt nicht nur die Differenz zwischen der ecclesia viatorum einerseits und der Vollendung Christi andererseits verschwinden, sondern führte auch zu einem problematischen Verlust des Achtens auf die Mitchristen. Das Einssein mit Christus individualisierte und wirkte sich darum auf die Gemeinschaft zerstörerisch aus. Eben dies ist der Grundtenor der paulinischen Auseinandersetzung in 1 Kor 12-14. Stellt er dort Aufbau und Wohl der Gemeinschaft heraus, um so zur Verarbeitung der Realität mit ihren weltlich-irdischen Bedingungen aufzurufen, so verweist er 4,8 auf denselben Sachverhalt, wenn er dort die übersprungene Differenz zwischen dem Status der Christen und des erhöhten Herrn energisch zu Gehör bringt: Die ganze Fülle des eschatologischen Reichtums meinen die Korinther schon zu besitzen, sie meinen, schon zum Herrschen gekommen zu sein. Aber an der Existenz des Apostels kann man ablesen, daß der Tod (sic!) noch durchaus Realitätswert besitzt (4,8-13).

Den Heilsindikativ der Taufe will Paulus allerdings auch nicht missen. Mit einer traditionellen Formulierung vertritt er ihn in 6,11: Ihr seid abgewaschen. Ihr seid geheiligt. Ihr seid gerecht geworden. So definiert er den Christenstand auch der Korinther. Aber in die Herrschaft Gottes sind sie noch nicht eingegangen. Dies ist ausstehendes Hoffnungsgut unter der Bedingung christlichen Wandels und des Ablegens der bösen Werke (6,9f). So *differenziert* Paulus zwischen *Heilsindikativ* und *Heilshoffnung*. Das Mitherrschen in der Vollendung ist noch keine Gegenwart, vielmehr ist das Sein zum Tode präsentische Realität, wie man an der apostolischen Existenz ablesen kann. Diese paulinischen Ausführungen, deren Analogie zu Röm 6,1ff offenkundig sind, fordern geradezu im Verein mit der Polemik gegen die Heilssicherheit aufgrund der Sakramente (10,1ff), daß die Korinther eben auch die Auferstehung als schon geschehen ansahen: Mitherrschen mit Christus fordert das Versetztsein in seinen Status. Gerade dazu kontrastiert Paulus die Todesnähe seiner Existenz. Dann werden die Korinther die Analogie aus Röm 6,3ff in glatter und unpaulinischer Form vertreten haben, ja vielleicht die ersten Christen gewesen sein, die überhaupt die Taufe als Mitsterben und Mitauferstehen mit Christus verstanden.[10]

Wenn aber die Korinther in Erweiterung der auch noch von Paulus gebilligten Tradition aus Gal 3,26-28 unter die schon erlangte eschatologische Herrschaft der Christen im Unterschied zum Apostel auch den Tod subsumierten und sich als Auferstandene verstanden, die — um mit dem Johannesevangelium zu reden — schon vom Tode ins Leben hinübergeschritten sind (Joh 5,24), dann hat sich offenbar zuvor auch das *Welt- und Lebensbild* gegenüber 1 Thess 4 verändert. Im Rahmen der unmittelbaren Parusieerwartung und ohne die Erfahrung erster toter Christen war eine ausdrücklich deklarierte Herrschaft auch über den Tod gegenstandslos. Solche Aussage hätte gar keinen Haftpunkt im Leben der Christen gehabt. Wird allerdings das Ableben von Christen vor der Parusie zu einer Art Normalität, so daß nur noch die Zuversicht bleibt, daß nicht alle zur Zeit Lebenden bei der Ankunft des Herrn ent-

---

[10] Vgl. dazu *Siber*, Christus 26ff.

schlafen sein werden (1 Kor 15,51),[11] und wird es möglich, ohne Problem vom Ableben einer Zahl von Osterzeugen zu sprechen (15,6), dann allerdings erheischt das damit signalisierte neue Situationsbewußtsein auch eine »normale« Verarbeitung der Todesproblematik. Stand die Argumentation in 1 Thess 4,13ff noch unter dem Zeichen irregulärer ausnahmsweiser Erfahrung mit toten Christen, die eben als solche »Ausnahme« in die alte Parusieerwartung hineingenommen werden konnten, so zeigt die für Korinth rekonstruierte Tauftheologie eine Lösung des Todesproblems, deren Geltung ganz unabhängig vom Proporz zwischen solchen Christen besteht, die als Lebende oder als wieder auferweckte Tote die Parusie erleben. Ja, entsprechend der religionsgeschichtlichen Herkunft der verarbeiteten Vorstellung ist diese Problemlösung eigentlich sogar ganz unabhängig von jeder Parusieerwartung. Ihr Ziel ist es nicht, eine neue Situation an die traditionelle Parusieerwartung zu akkommodieren, sondern sie versteht sich als Antwort auf das hellenistische Verständnis *allgemeiner Todes- und Vergänglichkeitsverfallenheit.* Sie überwindet diese Vergänglichkeit individuell, ohne des Elements einer kosmisch-apokalyptischen Zukunftserwartung überhaupt zu bedürfen.[12]

Die Lösung des Todesproblems von seiten der korinthischen Sakramentalisten und Geistenthusiasten gehört in die Jahre unmittelbar nach der geschilderten Problemlösung in 1 Thess 4,13ff. Sie ist unpaulinisch, lebt jedoch zu einem guten Teil vom zugespitzt gedeuteten Erbe der paulinischen Theologie. Trotz der Frontstellung des Paulus gegen sie hat diese Lösung in mancher Modifikation auf die Geschichte des Urchristentums erhebliche Faszination ausgeübt. Dies belegen etwa der Kolosserbrief, der Epheserbrief und das Johannesevangelium, wie schon oben angeführt. Dieser Reiz erklärt sich sicher nicht aus der Sympathie für die Korinther, sondern beruht auf der allgemeinen Plausibilitätsstruktur, die dieser Position im

---

[11] Vgl. dazu *Klein*, Naherwartung 250f.

[12] Natürlich soll nicht bestritten werden, daß zum Beispiel auch die jüdische Apokalyptik (4 Esra!) das Problem der Vergänglichkeit reflektiert hat, aber der aufgewiesene Zusammenhang, in dem dieses Thema auftritt, spricht gegen jüdisch-apokalyptischen Einfluß. Dies hat Konsequenzen für die Situation in 1 Kor 15 (s. u.).

Rahmen des damaligen religionssoziologischen Geflechtes im Hellenismus eigen war.

Im Zusammenhang mit diesen Problemen in Korinth muß Paulus sich wegen der Ansichten einer Gruppe innerhalb der Gemeinde noch ausführlicher zur Auferstehungsfrage äußern. Er tut dies in 1 Kor 15. Bewußt wurde dieses Kapitel aus der nun abgeschlossenen Erörterung herausgenommen, weil zunächst zu erklären ist, welchen speziellen Gegnern im Rahmen des korinthischen Milieus Paulus darin antwortet, müssen sie doch nicht mit der allgemeinen Gemeindetheologie von vornherein und glatt im Einklang stehen. Außerdem hat dieser Abschnitt derartig viele Spezialprobleme, daß sich auch von da her eine gesonderte Besprechung empfiehlt. Endlich soll einer der Akzente in der Darstellung auch darauf gelegt werden, daß nachgewiesen wird, wie Paulus sich selbst gegenüber 1 Thess 4,13ff gewandelt hat.

Für diese Untersuchung halten wir als ein *Ergebnis* fest: Neben der Lösung der Todesproblematik in 1 Thess 4,13ff gibt es eine andere nicht paulinische Konzeption der Todesüberwindung, die aus einer bestimmten Tauftheologie stammt. Als Antwort auf das hellenistische Verständnis allgemeiner Todesverfallenheit wird die Taufe als soteriologische Partizipation an Tod und Auferstehung Christi verkündigt. Anteilhabe an der Auferstehung Jesu Christi bedeutet dabei enthusiastisches Mitherrschen mit dem erhöhten Christus. Darum ist der Christ schon jetzt den weltlichen Bedingungen — einschließlich der Todesverfallenheit — enthoben. Diese Auffassung scheint sich vornehmlich in Korinth entwickelt zu haben.

8. Tod und Auferstehung in 1 Kor 15

8.1. Allgemeine Beobachtungen

Nach 1 Thess 4,13ff ist der zeitlich nächste größere Textabschnitt, in dem Paulus selbst das Thema der Auferstehung der Toten weiter verfolgen muß, ohne Zweifel 1 Kor 15. Er wurde nicht nur rund ein halbes Jahrzehnt nach dem 1. Thessalonicherbrief verfaßt (dies gilt unbeschadet literarkritischer Erwägungen zum 1. und 2. Korintherbrief)[1] und nicht nur abermals zweifelsfrei durch eine spezielle Problematik der Gemeinde Paulus »aufgezwungen«, sondern zeigt vor allem auch, wie Paulus sich selbst geändert hat — nicht zuletzt unter dem Einfluß der korinthischen Theologie. Die theologische Abhängigkeit von Antiochia wird gelockert, der korinthische Enthusiasmus mit seiner neuen Problematik erheischt alle Aufmerksamkeit. Paulus stellt sich ihm und wandelt sich dabei. Ein Ergebnis dieses Lernprozesses ist 1 Kor 15.

An diesem Text ist vorab auffällig, wie der Apostel indessen viel reflektierter, differenzierter, diskursiver und selbständiger argumentierend am Thema arbeitet. 1 Thess 4,13ff war im Umfang knapp, der eigentlich wortkarge Schluß vom Bekenntnis auf die Hoffnung in Vers 14 noch nicht ganz geglückt, die apokalyptische Tradition nur gleichsam thetisch erweitert und vermittels der Autorität des Herrn begründet. Paulinische Redaktion und vorgegebene Tradition ließen sich im Prinzip durchschauen. Diese Szenerie hat sich 1 Kor 15 gänzlich gewandelt. Zwar schimmern die Themen aus 1 Thess 4,13ff noch bis in die Wortwahl hinein durch, aber schon allein die Materialfülle, die neu herangezogen und dabei dem eigenen paulinischen Konzept integriert wird, ist imponierend. Jedoch verliert sie bis auf 15,3b-5 (hier liegt Absicht vor!) ihre Eigenständigkeit. Sie wird funktional und partiell ausgewertet, so daß

---

[1] Die literarische Einheit des 1. Korintherbriefs läßt sich immer noch mit guten Gründen vertreten. Doch sind die folgenden Ausführungen unabhängig von solchen Theorien aufgebaut. In der absoluten Chronologie setze ich den 1. Korintherbrief mit einem Unsicherheitsfaktor von ca. einem Jahr in das Jahr 54 n. Chr.

eine tiefgreifende Aufarbeitung durchaus auch gegen ihr eigenes Gewicht zu konstatieren ist. Darum bleibt die Scheidung zwischen Tradition und paulinischer Bearbeitung in 1 Kor 15 meistens sehr hypothetisch. So wortreich und wortgewandt, problem- und traditionsbeherrschend hatte sich Paulus im 1. Thessalonicherbrief in der Tat noch nicht erwiesen.

Aber diese Aspekte einer Werkstattanalyse sind noch gar nicht das Entscheidende. *Geändert* hat sich nämlich gegenüber 1 Thess 4,13ff bei Paulus zugleich die *Grundeinstellung zur Sache* selbst. War im 1. Thessalonicherbrief die Kontinuität zwischen der christlichen Existenz und ihrer Partizipation an der zukünftigen Gottesherrschaft als Zusammensein mit Christus selbstverständliche Voraussetzung, und bedurfte es darum nur der Hineinnahme von ein paar irregulären Todesfällen in diesen Zusammenhang, so geht es 1 Kor 15 gerade unter der Voraussetzung, daß die *gesamte adamitische Menschheit ausnahmslos dem Wesensmerkmal von Tod und Vergänglichkeit unterliegt* und ihm von sich aus nicht entrinnen kann, also auch das christliche Endheil im entschiedenen Gegensatz dazu als Unvergänglichkeit und endgültiger Sieg über den Tod definiert werden muß, um die Ermöglichung und Verwirklichung des Heils und seiner überzeugenden Explikation gegenüber den Korinthern angesichts dieser Unterschiedenheit von Welt und Heil. Zur Hoffnung gehört natürlich auch noch die nahe Parusie. Aber diese ist nicht mehr der alles beherrschende Magnet, nach dem sich alle anderen Aussagen ausrichten. Vielmehr ist das umfassende neue Thema, das Aufbau, Gedankengang, Traditionsverarbeitung und Argumentation bestimmt, das menschlich allgemeine Todesproblem und seine Überwindung in Christus. Jetzt argumentiert Paulus sogar so, daß »alle« in Christus lebendig gemacht werden (15,21f). Dies ist der neue Regelfall. Dadurch geraten die Christen, die die Parusie als Lebende erfahren werden (15,51), jedenfalls nun sachlich in die Ausnahmesituation. Konsequent in bezug auf den Ansatz wird für sie nun auch eine neue Modalität vorgesehen, nämlich, wie bei den Toten die Auferweckung zugleich Verwandlung in eine unsterbliche Existenz ist, so gilt auch für sie nun die Verwandlung als unbedingt notwendig. So kann auch bei ihnen die Todesüberwindung durch Unvergänglichkeit begründet werden. Aber es gilt auch: Nur so kann die Diskontinuität zwischen Welt und Heil überbrückt werden. Dieses Problem gab es 1 Thess 4 noch nicht. Man kann nun von 1 Kor 15 her nachträglich sagen: Die vorkritische, noch nicht problematisierte Kontinuität zwischen geschichtlichem Leben und endgültigem Heilszustand ließ auch gar keinen Raum für solche Erwägungen zur Verwandlung.

Mit dieser neuen Situation hängt noch eine weitere Verlagerung in bezug auf den Horizont der Erörterung zusammen. In 1 Thess 4 gab es nur exklusiv für Christen und im Blick auf die christliche Gemeinde Erlösungsmöglichkeit. Wenn nun in 1 Kor 15,21f die adamitische Menschheit überhaupt als todgeweihte in den Blick gerät und in Christus alle (sic!) lebendig gemacht werden sollen, dann kommt jedenfalls ansatzweise eine Entschränkung des bisher auf die Gemeinde zentrierten Blickfeldes zum Zuge, so sicher diese Ausweitung nicht allgemeine Bedeutung gewinnt, sondern der Gemeindehorizont weiter dominiert (vgl. nur 15,57 als Abschluß der Erörterung). Aber diese Dominanz steht unter dem Bewußtsein, daß *christliche Heilsverwirklichung* explizit ein *Menschheitsproblem* aufhebt.

Die Aussage, daß »in Christus alle lebendig gemacht werden« und Christus »der Erstling der Entschlafenen« ist (15,20.22), macht zugleich sichtbar, wie sich die Deutung der *Auferstehung Christi* als ein exzeptionelles Ereignis unabhängig von der Erwartung allgemeiner Totenauferweckung endgültig verabschiedet hat und stattdessen nunmehr dieses Ereignis seinen besonderen Ort im Rahmen der apokalyptischen Erwartung der *allgemeinen Auferstehung* zugewiesen bekommen hat: Christi Auferstehung wird Mittel, um das Todesproblem im Rahmen apokalyptischer Enderwartung zu lösen.

Endlich tritt in 1 Kor 15 der Zusammenhang Sünde — Tod als Straffolge — Zorn Gottes als endgerichtliches Handeln an der sündigen Menschheit in den Hintergrund, weil der Zusammenhang Vergänglichkeit — Unvergänglichkeit nicht mehr ohne weiteres dieses Koordinatenfeld benötigt. Vom Zorn Gottes (vgl. 1 Thess 1,9f) ist gar keine Rede. Der Zusammenhang Sünde — Tod wird, obwohl es ein typisches paulinisches Thema ist, nur am Rande gestreift (vgl. 15,3.17.56). Dabei steht 15,56 sogar so außerhalb des

Argumentationsgefälles, daß man schon in dem Vers eine Glosse vermutet hat.[2]

8.2. Die Frage nach den Gegnern

Ein besonderes Problem, daß die gesamte Auslegung in 1 Kor 15 bestimmt, ist die Frage nach der *theologischen Position,* mit der Paulus sich auseinandersetzen muß. Hier sind die Lösungsversuche besonders mannigfaltig. Auch ist es bisher keinem Versuch gelungen, wirklich alle offenen Fragen durch eine einheitliche Theorie zu erklären. So ist es nicht grundlos, wenn manche Exegeten nur noch eine ungefähre Grobskizze der Gegner gelten lassen wollen. In jedem Fall ist Vorsicht bei zu detaillierter Kennzeichnung derselben geboten. Auch scheint sich in diesem Zusammenhang wohl mit Recht ein gewisser Konsens durchzusetzen, nach dem man in Korinth keine voll ausgeprägte gnostische Christologie annehmen dürfe, weil die Gemeinde die Parusieerwartung[3] und das Bekenntnis 1 Kor 15,3b-4 akzeptiert, und die Stellen, die sonst für eine solche These in Anspruch genommen werden, sich durchaus auch anders oder sogar besser erklären lassen.[4]

Ein die Exegese verunsicherndes Problem ist auch der Umstand, daß Paulus davon spricht, »*einige*« in Korinth verträten eine Ansicht zur Auferstehung, die er nun bekämpfen müsse (vgl. 15,12.34). Da der Gesamtgemeinde eingangs ausdrücklich der Reichtum an christlicher Erkenntnis lobend zuerkannt wird (1,4-6), jedoch diese Gruppe, die relativ unspezifisch nur mit »einige« angegeben wird, den Tadel der Unkenntnis Gottes erhält (15,34), ist es zumindest nicht problemlos, wenn man die sogenannten Auferstehungsleugner in Korinth vorschnell einfach mit »der« korinthischen Theologie identifizert. So gibt es nicht den leisesten unmittelbaren Anhaltspunkt, daß sie aufgrund von textlichen Indizien mit einer eingangs des Briefes genannten Partei in Verbindung gebracht werden dürfen. Auch sind aufgrund der paulinischen Darstellungsweise über-

---

[2] Zum Stand der Diskussion vgl. *Conzelmann,* z. St.

[3] Vgl. 1,7f; 3,13-15; 4,5; 11,26; 16,22.

[4] Es ist m. E. das Verdienst des Kommentars von *Conzelmann,* dies durchgeführt zu haben.

haupt Andeutungen unsicher, nach denen die im 1. Korintherbrief erkennbaren Aspekte der Gemeindetheologie mit der Auferstehungsthematik verbunden werden können. Selbst mit der Erwähnung der Vikariatstaufe in 15,29, die einen massiven Sakramentalismus voraussetzt, ist insofern von Paulus aus keine problemlose Brücke zur allgemeinen korinthischen Situation zu schlagen, als der Apostel weder diesen Sakramentalismus ausdrücklich tadelt noch überhaupt sagt, daß die »Auferstehungsleugner« oder sonstige Gemeindeglieder in Korinth selbst die Taufe auf die Toten praktizieren. Er redet nämlich in 15,29 so zurückhaltend und gemeindeunabhängig, daß man auch annehmen könnte, er erwähnte nur ein Beispiel aus der Urchristenheit, das den Korinthern bekannt war.

Nun sei zugegeben, daß diese Ausführungen sich bewußt als extremes Gegenteil präsentieren wollen zu einer Position, die umgekehrt schlechterdings alle Probleme, die Paulus im 1. Korintherbrief verhandelt, ausnahmslos als typischen Reflex eines korinthischen Enthusiasmus deuten, selbst wenn es sich zum Beispiel um ein Verhalten handelt, das generell für Heidenchristen überhaupt charakteristisch sein wird. Selbstverständlich bleibt es immer noch am allerbesten kalkulierbar, setzt man die Vikariatstaufe als Praxis (auch) in Korinth voraus. Ebenso ist die Vermutung, gerade die sogenannten Auferstehungsleugner verdankten sich und ihre Position der allgemeinen korinthischen theologischen Lage, immer noch am ehesten vertretbar. Ja man kann sogar die These durchprobieren, ob dann diese konturenlosen »einige« überhaupt auf eine Sondergruppe deuten. Vom Blickpunkt der Gemeinde aus können sie durchaus als deren genuine Repräsentanten bei gottesdienstlichen Äußerungen gegolten haben. Dann würde nur Paulus sie von seiner Warte her gesondert angesprochen haben, weil sie für ihn etwas artikulieren, das er mißbilligt. Nur muß man sich in jedem Fall darüber im klaren sein, daß hier jeweils der Historiker ihm im einzelnen Unbekanntes durch Vermutungen auffüllt, mögen diese in seiner Theorie noch so stimmig sein.

Endlich ist die Exegese in 1 Kor 15 noch dadurch belastet, daß man zumindest im Ansatz wohl zu differenzieren hat zwischen den tatsächlichen Zuständen in Korinth und den Vorstellungen, die Paulus davon hat. Das Auferstehungskapitel steht vielleicht nicht zu Unrecht auch aus einem mehr äußeren Grund am Schluß des Briefes. Paulus redet eventuell von einer Sondergruppe und jedenfalls in Differenz zu den brieflichen Anfragen der Korinther, die er aufgrund von relativ deutlicher Unterrichtung abhandelt, und wohl auch im Unterschied zu den mündlichen Angaben der Besucher aus dem Hause der Kloe zum Parteien(un)wesen (1,11) nicht aus ebenso guter oder vollständiger Information heraus. Es ist sogar erwogen worden, Paulus kenne überhaupt nur das Schlagwort: »Auferstehung von Toten gibt es nicht« (15,12);[5] alles andere müsse er sich selbst zurechtlegen. Aber so wenig überzeugend solche absolute Kargheit an Information sein mag, so signalisiert doch diese extreme These, daß keine Theorie gerade zu 1 Kor 15 davon befreit ist, die historische Situation der Gegner und die mögliche Mißdeutung des Paulus aus seiner Unkenntnis der wirklichen Lage heraus zueinander ins richtige Verhältnis zu setzen. Dabei wird allerdings zu gelten haben: Je programmatischer man damit rechnet, Paulus habe die Korinther tiefgreifend mißverstanden, desto weniger sind die Risiken solcher Exegese kalkulierbar.[6]

Nach diesen grundsätzlichen Erwägungen sollen die *drei Deutungen des Schlagwortes aus 15,12* besprochen werden, die prinzipiell in Frage kommen, um die gegnerische Position zu bestimmen. Die *erste Möglichkeit* ist zunächst angesichts der bisherigen Ausführungen namentlich zu 1 Thess 4 besonders reizvoll: *Es gibt keine Auferstehung Toter, sondern nur die Teilnahme der Lebenden bei der Parusie des Herrn.*[7] Dann hätte die in 1 Kor 15 angeredete Gruppe den neuen Erkenntnisstand von 1 Thess 4 noch nicht erreicht beziehungsweise abgelehnt. Theoretisch wäre diese Position denkbar. Doch ist es ganz unwahrscheinlich, daß man in Korinth zum Teil so dachte oder Paulus nur so deutete. Denn für diesen Fall hätte Paulus nur 1 Thess 4 zu wiederholen brauchen. Dies tut er in gewisser Weise auch 1 Kor 6,14, ohne allerdings damit zu rechnen, man würde in Korinth ihm das nicht abnehmen.[8] Angesichts seiner

---

[5] *Luz*, Geschichtsverständnis 337f.

[6] Mit einem tiefgreifenden Mißverständnis rechnet zum Beispiel *Schmithals*, Gnosis 147.

[7] Vgl. *Schweitzer*, Mystik 94, und *Conzelmann*, 1 Kor: 310.

[8] Überhaupt scheint — soweit erkennbar — für Paulus das in 1 Thess 4

viel weiter und differenzierter ausholenden Argumentation in 1 Kor 15 muß doch wohl auch geurteilt werden, daß er selbst die Lage in Korinth nicht als so vergleichsweise harmlos ansah wie in 1 Thess 4. Außerdem kann nicht übersehen werden, daß für alle Korinther der Tod einer ganzen Reihe von Christen bereits eine Art Normalität war (1 Kor 15,6.51), also sich schon die Ausgangsposition gegenüber 1 Thess 4 verschoben hatte. Auch das Argument mit Hilfe der Vikariatstaufe 15,29 wäre bei dieser Annahme geradezu deplaziert.[9] Vor allem aber liegt Paulus im Gesamtduktus seiner Ausführungen doch offenbar entscheidend daran, die Todesproblematik als konstitutives Strukturprinzip dieser Welt mit Hilfe der christlichen Botschaft aufzuarbeiten. Demnach werden seine Gesprächspartner eben dasselbe Problem theologisch anders bearbeitet haben. Sie werden nicht einfach an der alten Form und Ausgestaltung der Parusieerwartung nur für die lebenden Christen auch angesichts des Todes von Gemeindegliedern festgehalten, sondern ihre Anschauung vom Ansatz der Todesverfallenheit der Menschheit überhaupt aufgebaut haben. Wenn darüber hinaus der 1. Thessalonicherbrief gerade anläßlich des ersten Aufenthaltes des Apostels in Korinth geschrieben wurde, dann wird Paulus sicherlich die dortige Gemeinde auch sofort gleichzeitig im Sinne von 1 Thess 4 belehrt haben (vgl. 1 Kor 6,14). Auch diese Erwägung macht es wenig wahrscheinlich, mit einer ultrakonservativen Restgruppe mit dem Erkenntnisstand von vor 49 vor Christus zu rechnen.

Die *zweite Möglichkeit*, das Schlagwort aus 15,12 zu deuten, kann unmittelbar aus 15,19.32 erhoben werden: *Es gibt keine Auferstehung Toter, sondern nur ein diesseitiges Leben.* Mit dem Tode ist alles aus. Jedenfalls erinnert die Argumentation des Paulus hier sehr stark an weisheitliche Traditionen, wie sie zum Beispiel SapSal 2-3 begegnen. Die Gottlosen (vgl. 1 Kor 15,34) vertreten dort den Standpunkt, dieses Leben sei voll zu genießen, denn nach ihm gibt es keine weitere Zukunft. Die Frommen hingegen hoffen, daß der Gerechten Seelen in Gottes Hand sind, und zugleich auf ein Ver-

---

angeschnittene Problem mit der dort vorgeschlagenen Lösung endgültig geklärt zu sein, denn auch 2 Kor 4,14; Röm 8,10f (usw.) formuliert der Apostel ähnlich glatt wie schon 1 Kor 6,14.

[9] Hier müßte man dann mit einem totalen Mißverständnis rechnen.

nichtungsgericht über die Gottlosen. Weil gerade auch die hellenistischen Mysterienreligionen der damaligen Zeit zu einem Teil durchaus einen rein diesseitigen Standort einnahmen, ist es an sich nicht ganz unwahrscheinlich, wenn eine Gruppe in Korinth sich so äußerte. Der Verweis auf den weitverbreiteten tiefen Skeptizismus auf den Grabinschriften der Zeit kann diese Annahme nur unterstützen. Doch auch bei dieser Annahme wird man des Textes in 1 Kor 15 nicht ganz froh. Das christologische Bekenntnis, das in 15,3b-4 die Basis der gesamten Argumentation abgibt, ist — wie schon erwähnt — als solches unbestritten. Es wird nicht abgelehnt, sondern Paulus weist nur 15,12ff darauf hin, daß sein Sinn gefährdet ist, wenn man eine bestimmte Art der Auferstehung, nämlich die von Toten, leugnet.[10] Also: Nicht ein Leben nach dem Tode wird generell bestritten — dann müßte man die im Bekenntnis verankerte Auferstehung Jesu auch streichen, das heißt, das Bekenntnis preisgeben —, sondern umstritten ist offenbar, ob speziell Tote auferstehen. Im übrigen stehen 15,19.32 doch etwas am Rande der Argumentation und lassen sich zudem auch noch anders verstehen, so daß man von hier aus kaum das ganze Kapitel wird auslegen können. Endlich entstünde bei solcher angenommenen Position auch eine allzu harte Gegensätzlichkeit zur Hoffnung der Gesamtgemeinde. Es ist kaum zu erwarten, daß eine Gemeinde, die in der ekstatischen Geisterfahrung die Identität mit dem erhöhten himmlischen Christus erlebte und darum sich schon jetzt über die Welt erhoben wußte, eventuell eine Gruppenmeinung bei sich duldete, die betont die schicksalhafte und unentrinnbare Verhaftung an die Welt lehrte. Dieser resignative Skeptizismus kann darüber hinaus in keiner Weise überhaupt mit der frühchristlichen Botschaft vereint werden, die doch gerade auszog, Zukunft und Hoffnung mit heilvollem Inhalt zu füllen (1 Thess 1,9f). Er kann noch viel weniger für eine Gemeinde erträglich sein, die im eschatologischen Vollendungsbewußtsein (1 Kor 4,8) lebte.

---

[10] Auf das nicht wörtlich in 1 Kor 15,3b-4 verankerte, aber ab 15,12ff von Paulus so betont und oft gesetzte »von den Toten« als Explikat zur Auferstehung hat mit vollem Recht *Güttgemanns*, Apostel 67ff, hingewiesen.

Die *dritte Möglichkeit* endlich läßt sich so charakterisieren: *Es gibt keine Auferstehung Toter, sondern nur eine Auferstehung im jetzigen Leben*, so daß dann der Tod keine endgültige vernichtende Macht ausüben kann. Man muß vor dem Tod schon auferstanden sein, um im Tod nicht ganz zu vergehen. Dies beinhaltet zugleich, daß man zwischen dem Schlagwort aus 1 Kor 15,12 »Es gibt keine Auferstehung von Toten« und dem anderen aus 2 Tim 2,18 »Die Auferstehung ist schon geschehen« eine sachliche Konvergenz sieht.[11] Beide Schlagworte treffen sich danach in der Ansicht, daß man jetzt in diesem Leben auferstehen muß, um dem Tod zu entgehen. Ist man erst einmal tot, kann man der Auferstehung nicht mehr teilhaftig werden. Wer die Gegner des Paulus so denken läßt, kann darauf verweisen, daß dies auch besonders gut zur Situation der Gesamtgemeinde paßt (vgl. 8.3.). Dann wären die »einige« nur deren Exponenten, oder sie vertreten zugleich noch speziellere Ansichten, die aus der korinthischen Korrespondenz nicht mehr ersichtlich sind. Sie können in jedem Fall das Bekenntnis der Gesamtgemeinde aus 15,3b-5 mitsprechen, setzen nur stillschweigend interpretatorisch hinzu: Daß Christus auferweckt wurde, liegt daran, daß er vor seinem Tode schon in der Taufe primär auferweckt wurde, also den Geist als unvergängliches Ich bekam, so daß der Tod keine volle Macht mehr über ihn hatte. Sie konnten auch die Parusieerwartung modifiziert aufrechterhalten. Vielleicht etwa so: Weil die Christen unvergängliches Pneuma besitzen, also einen unvergänglichen Kern, ist der Tod für sie nur ein Schlaf statt einer völligen Vernichtung. Bei der Parusie des Herrn wird dieser die pneumatischen Selbste auferwecken. Denkbar wäre auch folgende Vorstellung: Das Pneuma kehrt im Tod zu Christus zurück. Die Gestorbenen leben bis zur Parusie bei dem Erhöhten, der dann mit ihnen zusammen die noch auf Erden lebenden Christen einholen wird. Weiter gewinnt die Vikariatstaufe (15,29)[12] in diesem Kon-

---

[11] Es ist das Verdienst von *Schniewind*, Leugner 110ff, dieser Ansicht Gehör verschafft zu haben. Vgl. außerdem *Brandenburger*, Adam 70f, der weitere Vertreter der These nennt.

[12] Zur Diskussion dieser Stelle als einer »der am heftigsten umstrittenen Stellen des Briefes« vgl. *Conzelmann*, 1 Kor: 327ff; *Rissi*, Taufe (dazu *Lohse*, in: ThLZ 89 [1964] 275f); *Schottroff*, Glaubende 162ff

text guten Sinn: Noch nicht getaufte Gemeindeglieder können ohne Taufe nicht am Endheil teilnehmen, weil sie dem Tode voll ausgeliefert sind. Ihnen nahestehende Gemeindeglieder, die selbst längst getauft sind, holen stellvertretend für sie nach, was ihnen durch zu schnell erfolgten Tod fehlt, damit auch sie dem Tod nicht völlig ausgeliefert sind: Stellvertretend erhaltenes Sakrament sorgt magischrituell für die Annahme, daß man auch nach dem Tod noch ausnahmsweise auferstehen kann. Paulus verweist dann auf diese Praktik als auf einen Beleg für die von ihm allein als gültig anerkannte Reihenfolge: irdisches Leben — Tod — Auferstehung der Toten. Diese Reihung findet er im allgemein anerkannten Bekenntnis wieder (15,3b-5) und unter anderem dann auch in der Vikariatstaufe.

Nun sollte allerdings nichts darüber hinwegtäuschen, daß die Grundposition: Erst Lebensgewinnung, damit man dann danach dem Tod nicht gänzlich ausgeliefert ist, religionsgeschichtlich einem Bereich entstammt, der von der urchristlich-apokalyptischen Parusieerwartung gänzlich unabhängig ist. Er ist zunächst beheimatet im Zusammenhang einer *hellenistisch-dualistischen Anthropologie*, nach der der Körper des Menschen vergänglich ist und das Ich (die »Seele«) unvergänglich gedacht wird, beziehungsweise — was für Korinth viel näher liegt — unvergänglich gemacht wurde, nämlich durch sakramentale Beeinflussung. Diese Vorstellung liegt *quer zur apokalyptischen Auferstehungshoffnung*, wonach der ganze Mensch von Gott als seinem Schöpfer auferweckt wird.[13] Weiter hat diese Grundvorstellung ihren Ort jenseits endgeschichtlicher Erwartungen, denn ist die individuelle Person mit Leben versorgt, hat sie im Tode Bestand und kann zum Beispiel zu ihrem Lebensursprung direkt zurückkehren. In Kenntnis dieser Sachlage hat man für die korinthische Position vermutet, die Auferstehungsleugner verträten eine dualistische Anthropologie und hätten die urchristliche Parusieerwartung bereits ganz preisgegeben. Nun ist wohl in bezug auf die Anthropologie der Gegner am wenigsten Klarheit zu erlangen. Die vorhandene Tendenz zu einer dualistischen Anthropologie ist kaum wegzudiskutieren, aber auch nicht sicher belegt. Bei der Parusie,

---

[13] Auf diese Grunddifferenz hebt *Cullmann*, Unsterblichkeit, ab, freilich, ohne für dieses Thema mit geschichtlichem Wandel im Urchristentum zu rechnen.

also dem Element apokalyptisch-endgeschichtlicher Hoffnung, ist eine klarere Aussage möglich: Die Gesamtgemeinde hat die Parusie des Herrn nicht preisgegeben, wie schon gezeigt wurde. Auch 1 Kor 15,20ff.50ff scheinen so angelegt zu sein, daß diese Verse den Sinn der Parusie akzentuieren, aber diese gegenüber den Gegnern kaum neu begründen müssen. Auch setzt Paulus 15,3b-5 beim Bekenntnis von Tod und Auferstehung Christi ein und nicht etwa bei einem Text wie 1 Thess 1,9f, das heißt doch wohl auch, daß die Parusie als solche nicht der eigentliche Streitpunkt war.

Also wird man für die Gegner annehmen können, daß sie die neue Vorstellung von der Lebensgewinnung, das heißt der »Auferstehung« vor dem Tod, weitgehend in die traditionelle Hoffnung — so gut es eben ging — eingefügt haben. Geht man mit dieser Voraussetzung an 1 Kor 15 heran, so mag wegen der nur ungefähren Kennzeichnung der Gegner immer noch manches Detail in der Auslegung nicht glatt aufgehen, jedoch führt diese Annahme in jedem Fall zu einem guten Verständnis der Schwerpunkte in diesem langen Kapitel. Diesen soll nun die Aufmerksamkeit gelten.

8.3. Erwägungen zu 15,1-19

Zweifelsfrei liegt in *15,1-11* ein erster gedanklich geschlossener Abschnitt vor. Er richtet sich an die Gesamtgemeinde und will Unbestrittenes als Fundament für die nachfolgende Diskussion verankern, damit dann 15,12ff speziell auf »einige« in der Gemeinde abheben kann, um derenwillen Paulus theologisch streiten muß, weil sie trotz des allgemeinen Konsensus' eine These vortragen, die damit nach der festen Überzeugung des Paulus unvereinbar ist. Dieser Gedankengang ist durch Inklusion gut gegliedert. Die Rahmung in den Versen 1f und 11 benennt zugleich die Hauptfunktion. Die Korinther werden insgesamt daran erinnert, daß es seit dem Anfang der Gemeindegründung eine nicht strittige, sondern gültige und *gemeinsame Basis im Bekenntnis* gibt, wie Paulus es betont 15,3b-5 zitiert.[14] Durch dieses Evangelium allein werden die Korinther gerettet. Es steht zudem im vollen Einklang mit der allge-

---

[14] Dies betonen mit Recht *Conzelmann*, z. St., und *Jeremias*, Abba 302.

meinen apostolischen urchristlichen Verkündigung. Speziell will Paulus offenbar noch weiter durch die *Vervollständigung der Zeugenreihe* in den Versen 6-8[15] bis hin zu sich selbst in Vers 9f verdeutlichen, daß zwischen dem anerkannten Primärzeugen Petrus und ihm — einschließlich aller anderen Osterzeugen — eine unumstößliche aufweisbare Übereinstimmung besteht, um so die Rechtmäßigkeit seines Apostolates zu begründen, hinter dem ebenfalls wie bei Petrus die unmittelbare Autorität des Herrn steht (vgl. 9,1). Sein Apostolat ist also wie bei Petrus und den anderen als unmittelbare Ermächtigung durch den Auferstandenen zu verstehen, das Bekenntnis im Sinne der anstehenden Problematik in den Versen 12ff allgemeingültig und verbindlich auszulegen. Zu dieser Auslegung kann damit übergegangen werden. Wollen die Korinther, vertreten durch »einige« (V. 12), davon abweichen, dann sind sie die abseitsstehenden Neuerer jenseits von Apostolizität und Allgemeingültigkeit der Botschaft.

Zwei *Vergleichspunkte zu 1 Thess 4* bieten sich dabei an: Beide Male wird die Hoffnung vom Bekenntnis her begründet. Die Neuheit der Problemlösung wird ferner direkt unter die Autorität des Herrn gestellt. Aber auch zwei Veränderungen sind markierbar: Verstorbene christliche Osterzeugen (V. 6) können problemlos Erwähnung finden. Sie werden nicht mehr als Bedrohung der christlichen Hoffnung empfunden. Dies gilt für Paulus selbst und auch für die Gemeinde. Zum anderen beruft sich Paulus auf ein Bekenntnis, das in jedem Fall einen erheblich fortgeschritteneren theologiegeschichtlichen Standort vertritt als die Auferstehungsaussage in 1 Thess 4,14. Vornehmlich die soteriologische Funktion des Todes Jesu ist 1 Thess 4 nicht herangezogen. Sie dient nun in 1 Kor 15 dazu, daß Christus, der für die Sünden stellvertretend gelitten hat, kraft seiner Auferweckung durch Gott zum neuen Adam werden kann, in dem Sünde und Tod ein Ende haben.

Mit *15,12-19* tritt Paulus dann in die eigentliche aktuelle Ausein-

---

[15] Unter der Fülle der Versuche, gerade diese Zeugenreihe zu verstehen, liegt in dem Aufsatz von *Osten-Sacken*, Apologie, im Prinzip die mir einleuchtendste Deutung vor. Zur Diskussion über den ganzen Abschnitt und insbesondere der Formel vgl. u. a. *Blank*, Paulus 133ff, und *Conzelmann*, z. St.

andersetzung ein. Er konfrontiert Bekenntnis und gegnerisches Schlagwort und führt unter der angenommenen Geltung dieser Parole den darin zum Ausdruck kommenden Standpunkt ad absurdum. Stilistisch hebt sich der Abschnitt vom Kontext durch die vorherrschenden Konditionalsätze ab: Sechsmal formt Paulus stereotyp »wenn . . . dann«. Außer dem korinthischen Schlagwort formuliert der Apostel dabei selbständig ohne Benutzung von Tradition.

Bei genauerem Hinsehen beginnt Paulus jedoch nicht mit dem Text des in 15,3b-5 zitierten Bekenntnisses, sondern mit einer (sinngemäß dieser von Haus aus eigenen) Interpretation: Christus wurde *»von den Toten«* auferweckt. Wie können dann einige von den Korinthern sagen: »Eine *Auferstehung Toter* gibt es nicht«? Geht man von der Position der Gegner aus, wie sie in 8.2. gezeichnet wurde, dann geht es in diesem Dialog um folgendes: Der Apostel sieht die Abfolge irdisches Leben — Tod (und Begräbnis) — Auferstehung als Tat Gottes für schlechterdings fundamental für den christlichen Glauben an. Der Grund liegt in seinem Gottesbild. Wenn anders für ihn Gott der Gott ist, »der die Toten lebendig macht und nicht Seiendes ins Sein ruft« (Röm 4,17), der sich als solcher gerade auch im Geschick Christi auswies und als solcher in der Soteriologie als der Rechtfertigung der Gottlosen (Röm 4,5) offenbart, dann muß Paulus in der gegnerischen Position die Grundlage seiner ganzen Theologie in Frage gestellt sehen.

Paulus hebt auf diesen Sachverhalt ab, indem er für den Fall der Angemessenheit der gegnerischen Parole zunächst *die Auferstehung Christi* als dann *nicht geschehen* herausstellt. Wenn nur Gott auferwecken kann und Gott überhaupt nur so auferweckt, daß er Tote lebendig macht, dann kann bei Geltung des Schlagwortes Christus von Gott nicht auferweckt sein. Dann aber ist entleert, was soeben noch (15,1-11) als Grundlage allen christlichen Glaubens überhaupt galt. Dann sind die Vertreter christlicher Verkündigung falsche Zeugen, die von Gott behaupten, er würde Tote lebendig machen, wo doch Tote nicht auferweckt werden können. Der Christen Gott ist dann eine vollständige Unwahrheit und Illusion. Ist Christus aber nicht auferweckt worden, dann ist auch die ganze Soteriologie in Frage gestellt. Wenn anders Sündenvergebung nur analog der

Totenauferweckung als Rechtfertigung Gottloser geschieht, dann führt die gegnerische Position dazu, daß Sündenvergebung gar nicht stattfindet. Dann sind ebenfalls die entschlafenen Christen, auf die in Vers 29 nochmals unter besonderem Aspekt eingegangen wird, verloren. Also ist hinfällig, was Paulus den Thessalonichern 1 Thess 4,13ff von Korinth aus schrieb, weil die dortige Argumentation eben auch auf dem Gott, der Tote auferweckt, aufgebaut ist. Dann aber — da für Paulus ein anderer Gott schlechterdings gar nicht denkbar ist — kann man nur für dieses Leben hoffen. Und weil man sich mit der Verkündigung eines ewigen Lebens dann bemogelt, gehört man zu den elendsten aller Menschen.

Die *Gegner* werden diese kataraktartigen Folgerungen als in ihrem Sinne natürlich unnötig und verfehlt betrachtet haben. Auch für sie galt noch: Gott allein kann auferwecken. Aber er tut es in einer anderen als der von Paulus angenommenen Weise. Er pflanzt Ewigkeitsleben als Geist Christi in die Menschen durch die Taufe ein vor ihrem irdischen Tod. So allein kann der Tod dann den Menschen nichts anhaben: Unvergänglichkeit unterliegt nicht der Vergänglichkeit. Gott kann also nur der tödlichen Vergänglichkeit zuvorkommen, aber nicht nach ihrem vollbrachten Werk aus dem Nichts schaffen. So war die Vorbedingung der Erhöhung Christi seine Auferstehung in der Taufe, und so verhält es sich analog bei allen Christen. Und weil dem so ist, sind auch alle anderen Konsequenzen, die Paulus zieht, aus der Luft gegriffen.

8.4. Probleme aus 15,20-28

Ein dritter Gedankengang[16] schließt sich in 15,20-28 an. Er hebt sich von 15,12ff ab, weil er — statt weitere Konsequenzen aus der gegnerischen Parole zu ziehen — nun von der paulinischen These: Christus ist auferweckt von den Toten, ausgeht. Diesem Kontrast in der Ausgangsposition, der auch stilistisch durch das »nun jedoch« hervorgehoben ist, entsprechen der Duktus und das neue Ziel. Endete 15,12-19 in der Hoffnungslosigkeit, so will 15,20ff die christliche Hoffnung abermals begründen als Hoffnung, die auf dem die

---

[16] Vgl. zu ihm *Brandenburger*, Adam 71f.

Toten auferweckenden Gott beruht und dazu führt, daß dieser Gott »alles in allem« sein wird.

Paulus unterzieht sich dieser Aufgabenstellung nicht durch abermalige Aufarbeitung von 1 Thess 4,13ff (das geschieht viel später in 15,50ff), sondern mit Hilfe anderer Traditionsmaterialien, die er allerdings stark bearbeitet, damit sie seinem Ziel dienlich sein können. Angesichts der (freilich ungenannten) Position der Gegner, daß Christen schon auferstanden sind, stellt Paulus heraus, daß bisher nur Christus auferstanden ist. Von seiner Auferstehung allein kann also als von einem Perfektum gesprochen werden. Als der Auferstandene ist er der »*Erstling der Entschlafenen*«[17]. Vom Kontext her hat dieser Ausdruck die Aufgabe klarzustellen: Zwischen seiner Auferstehung und der der anderen besteht ein nicht bestreitbarer Zusammenhang. Aber im Blick auf den Zeitfaktor gilt zugleich, daß er als »Erstling« von den anderen abgehoben ist. Sie werden später erst folgen. Folgen werden endlich die »Entschlafenen«, also es geht um die Auferweckung der Toten, nicht um die Bewahrung der Lebenden vor der Vergänglichkeit. Dieser »Erstling der Entschlafenen« ermöglicht für die adamitische Menschheit die Totenauferweckung. Sie ist zur Zeit noch futurisches Hoffnungsgut. Denn jeder wird in der ihm zukommenden Reihenfolge auferweckt werden. Als allerletztes wird der Tod des Todes stattfinden. Erst dann wird die adamitische Menschheit wirklich vom Tod befreit sein, also nicht der Tod, sondern Gott triumphieren. Damit sagt Paulus den Korinthern: Die Auferstehung ist diesseits des Todes nicht zu haben. Er ruft sie auf, einem vorzeitigen Überspringen der Grundgegebenheiten des Lebens — also der Realität der allgemeinen Sterblichkeit — zu entsagen und den eschatologischen Vorbehalt christlicher Heilserwartung einzukalkulieren. Er weist auf, wie der Tote auferweckende Gott Inhalt christlicher Hoffnung ist und wie diese Hoffnung nicht als Besitztum denaturiert werden kann.

Neu an diesem Abschnitt ist gegenüber 1 Thess 4,13ff der betont herausgearbeitete Horizont menschheitlicher Todesverfallenheit. In ihm kann nun die Bedeutung der Auferweckung Jesu Christi erst

---

[17] Zu diesem Ausdruck vgl. die Diskussion bei *G. Delling*, in: ThWNT I 483f; *Güttgemanns*, Apostel 73f; *Wilcke*, Problem 65ff; *Luz*, Geschichtsverständnis 335f, und *Conzelmann*, z. St.

angemessen aufgewiesen werden. Hieß es dort: Wie Gott Jesus auferweckte, so wird er auch die wenigen ausnahmsweise zu früh verstorbenen Christen an der Parusie teilnehmen lassen, so bleibt zwar auch 1 Kor 15 Gott der Auferweckende, aber Jesus ist nicht nur schlechthin der begründende Analogiefall, sondern als »Erstling der Entschlafenen« tritt er in das Gegenüber zu Adam. *In Christus wird der Tod als Menschheitsschicksal besiegt.* Er ist in seiner Person Anfang einer neuen Menschheit, nämlich derer, die aus dem Tod gerettet werden. So wird er im Gegensatz zum ersten Adam, in und durch den alle unter den Tod gestellt wurden, aufgrund göttlicher Tat an ihm zum zweiten Adam, der für die Menschheit eschatologischer Lebensmittler ist.

Es ist die Frage, ob Paulus die *Gegenüberstellung von Adam und Christus* und die Kennzeichnung Christi als »Erstling der Entschlafenen« neu gebildet hat oder bereits in Vorstellung und Terminologie vorfand. Nun will wahrscheinlich schon stilistisch der Anfang von Vers 21 eine bekannte Übereinstimmung feststellen.[18] In jedem Fall setzt Paulus ohne weitere Erklärung Verständnis für seine Ausführung voraus, also doch wohl Bekanntschaft mit dem Gedankengang. Wichtiger aber noch ist eine sachliche Beobachtung: Die Gegenüberstellung von Adam und Christus als den beiden allein die Menschheit bestimmenden Personen ist nur stimmig, wenn, wie der Tod durch den einen Wirklichkeit geworden ist, so eigentlich auch das Leben mit dem Auftritt des zweiten Adam präsent ist. Diese in der Gegenüberstellung beider Personen sachlich beheimatete Konsequenz wird aber von Paulus gerade nicht intendiert. Er wehrt sie ab, indem er in Vers 22 die Lebensgabe dem Futurum vorbehält. Dann aber ist hier dieselbe Differenz zu beobachten, wie sie zwischen der geforderten Aussage in Röm 6,3ff und der tatsächlichen Formulierung des Paulus bestand (vgl. 7.2.) und wie sie ebenfalls zwischen den korinthischen Schwärmern und der Position des Apostels für den gesamten 1. Korintherbrief herausgearbeitet wurde (vgl. ebenfalls 7.2.). Darum ist es sehr gut möglich, daß man in Korinth schon den erhöhten Christus als zweiten Adam ansah, in dem das Auferstehungsleben bereits erschienen und für die Gläu-

---

[18] Darauf weist neuerdings nochmals *Luz*, Geschichtsverständnis 335, hin.

bigen im Geistbesitz zugänglich ist. Paulus greift diese Christologie auf, weil durch sie auch ganz in seinem Sinne die Bedeutung Christi für die Menschheit ausgesagt werden kann. Er verarbeitet diese Vorstellung aber nur so, daß er Gegenwart und Zukunft noch nicht koinzidieren läßt.

Was nun den *Begriff »Erstling der Entschlafenen«* betrifft, so drückt er gerade diese eschatologische Distanz unter Beibehaltung der sachlichen Zusammengehörigkeit der Auferstehung Christi und der Christen angemessen aus. In Korinth hätte man wohl auch sagen müssen: Christus ist der Erstling der Auferstandenen.[19] Wenn demgegenüber Paulus Christus ausdrücklich als »Erstling der Entschlafenen« herausstellt, soll das daran erinnern, daß Gott jeweils aus dem Tode errettet, jedoch nicht zeitlich vor dem Tod dem Tod gegenüber immun macht. Nun wäre allerdings noch vorstellbar, daß Paulus den Ausdruck aus einer Gemeindetradition entlehnte, die — 1 Thess 4,13ff weiterführend — schon mit verstorbenen Christen rechnete, allerdings als einer Normalität, und dabei die Auferstehung in der traditionellen Weise in der Zukunft ansiedelte. Dies ist denkbar, aber nur sehr bedingt vermutungsweise zu vertreten. Sicherer ist es, den Ausdruck als eine paulinische Prägung anzusehen. Die plakative Formulierung spricht dann nicht für Tradition, sondern viel eher für paulinische Treffsicherheit in der Diktion.

Wie konkretisiert nun Palus den *zeitlichen Abstand* zwischen der Auferstehung Christi und dem »Weltende«? Leider sind in den Versen 23-28, die darauf eine Antwort erteilen sollen, die traditions- und redaktionsgeschichtlichen Verhältnisse längst nicht so klar, wie es sich der Exeget für seine Auslegung wünscht.[20]

Zunächst ist die Aufreihung apokalyptischer »Ordnungen« der Sache nach traditionell.[21] Der Gedanke entspricht der Periodisie-

---

[19] Dies fordert mit Recht *Güttgemanns*, Apostel 73 Anm. 111.

[20] Die folgenden Ausführungen haben vor allem die Beobachtungen von *Wilcke*, Problem 76ff; *Luz*, Geschichtsverständnis 339ff; *Conzelmann*, z. St., aufgegriffen. Unter den neueren Exegeten haben diese besonders sorgfältig die Schwierigkeiten des Textes ausgelotet.

[21] Mit *Luz*, Geschichtsverständnis 339. Eine ausführliche Diskussion zum Begriff auch bei *Wilcke*, Problem 76ff, freilich mit anderem Ergebnis.

rung der Endereignisse nach einem von Gott festgelegten »Fahrplan«. Offenbar denkt Paulus konkret an drei[22] »Ordnungen«: 1. Der Auferstandene ist der »Erstling«; 2. danach werden die gestorbenen Christen auferweckt; 3. am Schluß steht das »Ende« als endgerichtliche Vernichtung aller Feinde.[23] Nun ist festzuhalten, daß es solche Abfolge vor 1 Kor 15 nicht gegeben hat, denn in jedem Fall ist das erste Glied vom Kontext her bestimmt (vgl. V 20-22),[24] wobei noch hinzu kommt, daß die Deutung des Auferstandenen als »Erstling der Entschlafenen« offenbar überhaupt als paulinisch anzusprechen ist (siehe oben). Auch das zweite Glied (»die in Christus Entschlafenen« werden »bei seiner Parusie« auferweckt) ist in jedem Fall christlich, aber wohl auch paulinisch. Denn weder der Lebenden noch ihrer möglichen Verwandlung ist gedacht, sondern allein der Aufzuerweckenden. Dies geschieht unter dem Druck der Verse 22.26, also unter dem kontextleitenden Gesichtspunkt der Auferweckung als Todesüberwindung.

Sachlich steht allerdings außer Zweifel, daß es einen Doppelaspekt der Endereignisse in der Apokalyptik natürlich gegeben hat, nachdem einmal die Auferstehung (der Frommen oder aller) und zum anderen die Vernichtung aller Feinde (der dann noch lebenden oder auch der zum Gericht auferweckten) darstellerisch aufeinander folgten.[25] Man kann wohl auch davon ausgehen, daß 1 Thess 4 unter Reduktion des Gerichtsmotivs (doch vgl. seine nur indirekte Präsenz in 1 Thess 1,9f) auf demselben Grundschema beruht. Da die Konzentration auf den Heilssinn der Endereignisse für die christliche Gemeinde überhaupt für die gesamte bisher besprochene Überlieferung vor 1 Kor 15 gilt, wird man konstatieren können, daß Paulus 1 Kor 15,24 nur erneut anklingen läßt, was religionsgeschichtlich typisch ist und in der Gemeindetradition jedenfalls im Prinzip auch vorhanden war. Das heißt aber auch: Paulus reapokalyptisiert christliche Hoffnung durch Erweiterung des Schemas

---

[22] Dies ist allerdings umstritten, vgl. *Wilcke*, Problem 78ff, doch fordert der Kontext und die Funktion von V. 23ff in Kap. 15 solche Deutung: So wird der eschatologische Vorbehalt konkret ausgestaltet.

[23] Zu dieser Deutung vgl. *Luz*, Geschichtsverständnis 339.

[24] Das betont *Conzelmann*, z. St., mit Recht.

[25] Vgl. *Bousset - Greßmann*, Religion 242ff.

der »Ordnungen« in bezug auf das erste Glied und durch erneute direkte Benennung des Motivs der Feindesvernichtung. Allerdings wird Paulus damit nicht zum Apokalyptiker. Vielmehr benutzt er funktional apokalyptische Darstellungsmittel, um den Korinthern zu zeigen: 1. Noch gibt es kein Mitherrschen (vgl. 4,8), denn bisher ist nur Christus auferstanden; die Gläubigen werden ihm erst noch folgen. 2. Zwar herrscht Christus schon, aber seine Herrschaft ist nur eine Interimsherrschaft zur Vernichtung der Feinde. Bei der Vernichtung der Feinde steht in jedem Fall die Entmachtung des Todes als letztem Feind noch aus (V. 26). Ist diese erfolgt, dann erst beginnt die Gottesherrschaft als wirkliche Heilszeit (V. 28). Daß ihm, abgesehen von dieser polemischen Situation, nichts an solchem Fahrplan liegt, erweisen 15,50-52 (siehe unten).

Sodann ist zu fragen, was konkret zur *vorpaulinischen Tradition* gehört haben mag. Hierbei ist davon auszugehen, daß die Beschreibung des Weltendes in Vers 24 durch zwei syntaktisch und sachlich wenig glücklich aneinandergereihte Temporalsätze erfolgt.[26] Dabei führt der erste (»wenn er die Herrschaft Gott, dem Vater, übergibt«) ein, was in den Versen 25.27ff näher zur Darstellung kommt, während der zweite (»wenn er alle Gewalt und alle Herrschaft und Macht vernichtet haben wird«) mit Vers 26 zusammen (»Als letzter Feind wird der Tod vernichtet«) eigentlich vollständig und angemessen das »Ende« beschreibt. Diese letzte Verbindung legt sich aus manchen Gründen auch als traditionell nahe: Vers 26 steht jetzt recht isoliert zwischen den Versen 25 und 27.[27] Nur in den Versen 26 und 24c ist von der Vernichtung der Feinde gesprochen, sonst von Herrschaft und Unterordnung. Zwar wird die Annahme im Recht sein, daß Paulus wohl die Vernichtung der Feinde als Herrschaftsausübung verstand,[28] aber dies ist offenbar erst ein Ergebnis, das sich durch die paulinische Redaktion einstellt. Auch kommt die alte Frage, ab wann Paulus mit der Vernichtung der Feinde rechnet, erst auf, weil in Vers 24 zwei Aspekte verbunden sind, die es von Haus aus nicht waren. Primär ist die Aussage, am (noch ausstehenden) Ende werden die Feinde vernichtet werden. Sekundär

[26] Dies betont mit vollem Recht *Luz*, Geschichtsverständnis 343.
[27] So *Luz*, Geschichtsverständnis 340.
[28] So löst *Conzelmann*, z. St., das Problem.

84

muß durch die Einbringung der Herrschaft des Erhöhten seit der Auferstehung mit der Durchführung dieser Aufgabe gerechnet werden. Somit ergibt sich: *15,24c.26* ist ein (nicht unbedingt christliches) *Traditionselement*,[29] das Paulus zur Darstellung seiner »Ordnungen« gebraucht. Die übrigen Aussagen in 15,23f sind bis auf die Vorstellung des »Fahrplanes«, wie oben ausgeführt, von Paulus unmittelbar ausgearbeitet worden.

Was nun die Ausführungen in den *Versen 24b.25.27f* betrifft, so ist die Rede von der Herrschaft Christi eine bei Paulus ungebräuchliche Vorstellung. Auch die Ausdrucksweise »Gott und Vater« ohne Näherbestimmung ist in dieser Form singulär. Mit ihr korrespondiert offenbar der absolute Sohnestitel in Vers 28. Dieser unpaulinische absolute Gebrauch fällt um so mehr auf, als Paulus — von 15,3b-5 beeinflußt — vorher sich regelmäßig des Titels »Christos« bedient (vgl. auch 15,31.57). Nun läßt sich weiter zeigen, daß die beiden Psalmen, die Paulus aufgreift (Ps 110; 8), nach Paulus eine gemeinsame Wirkungsgeschichte gehabt haben.[30] Da Paulus beide Psalmen nur hier benutzt, ist die Annahme kaum von der Hand zu weisen, daß ihre Verbindung auch für Paulus schon traditionell ist. Diese Beobachtungen führen zu der These, Paulus habe im wesentlichen diesen Gesamtkomplex vorgefunden. In ihm verbanden sich offenbar auf der vorpaulinischen Ebene zwei Vorstellungselemente: die Unterordnung der Mächte unter Christus bei seiner Erhöhung und die Reichsübergabe des Sohnes an den Vater am Ende der Tage.[31] So wurden die Erhöhung Christi und die noch ausstehende Gottesherrschaft — zwei typische und traditionell urchristliche, je für sich stehende Überlieferungsblöcke — miteinander durch die Idee einer Interimsherrschaft des Sohnes verbunden. Paulus

---

[29] *Conzelmann*, z. St., erwägt, ob Paulus den Tod erst um seines Themas willen einsetzte. Dann hätte in der Tradition die Teufelsgestalt Erwähnung gefunden. Aber umgekehrt wird gerade die Erwähnung des Todes Anlaß für die paulinische Aufnahme gewesen sein, zumal ein sachlicher Bezug zu Jes 25,8 naheliegt, vgl. auch Offb 21,4.

[30] Vgl. dazu speziell die Ausführungen bei *Luz*, Geschichtsverständnis 343ff.

[31] Die Begründung für die Kontamination der beiden Elemente liefert *Luz*, Geschichtsverständnis 343ff. Luz nimmt allerdings an, die Zusammenfügung gehe auf Paulus selbst zurück.

kann diese Tradition nur gelegen kommen, kann er doch durch sie präzisieren, inwiefern die eschatologische Vollendung in der Tat noch aussteht.

Durch die *Verbindung der beiden Traditionen* aus 15,24c.26 und 15,24b.25.27f entsteht nun noch eine neue Aussage über die Todesvernichtung, die nicht unerwähnt bleiben darf. Nimmt man die erste Tradition für sich, so ist die Vernichtung des Todes Sache Gottes.[32] Bei der Verzahnung mit der zweiten Tradition schiebt sich aber durch die Verse 24b und 25 ein neues Subjekt in den Vordergrund: Christus.[33] Dadurch erhält nun die Vernichtung des Todes in Vers 26 ebenfalls indirekt ein neues Subjekt: Erstmals in der urchristlichen Theologiegeschichte hat nun Christus selbst Macht über den Tod, die im jüdischen und frühen urchristlichen Traditionsbereich sonst immer nur Gott zukommt. Dies wird auch bei Paulus sonst ganz konsequent durchgehalten: Christi Auferweckung und die der Gläubigen ist durchweg ausschließlich Gottes Tat. Abgesehen von 1 Kor 15,26 gibt es nur noch eine Ausnahme: Phil 3,21. Hier allerdings ist abermals mit Tradition zu rechnen (vgl. 9.1.). Wegen dieser Eindeutigkeit des Materialbefundes ist wohl kaum anzunehmen, Paulus habe die Macht über den Tod Christus betont und programmatisch zuschreiben wollen, zumal dieses Ergebnis durch Traditionsverflechtung zustande kam.

8.5. Die Argumentation in 15,29-34

Repräsentiert durch die Verse 15,29-34, folgen weitere Gründe, warum die Auferstehung gerade der Toten eine christlich unverzichtbare Hoffnung ist. Paulus ist also trotz des umfassenderen Horizonts, der 15,20-28 aufgerissen wird, nochmals bei einer eher zu 15,12-19 passenden Argumentationskette. Zunächst kann nach ihr die *Vikariatstaufe* dafür ein Zeugnis ablegen, daß Tote auf-

---

[32] In V. 23.24a.c.26 ist Gott (sachliches) Subjekt und Christus als Erstling auch Objekt göttlichen Handelns.

[33] Mit *Wilcke*, Problem 101f.104f, und *Conzelmann*, z. St., muß Christus (gegen den alttestamentlichen Sinn) Subjekt der Assoziation an Ps 110,1 sein und die Feinde unter seine eigenen Füße legen. Auch für den Rekurs auf Ps 8 gilt dasselbe.

erstehen (V. 29): Im Ausnahmefall eines vor der Taufe gestorbenen Gläubigen wird von der Taufe, die ein Gemeindeglied stellvertretend für diesen auf sich nimmt, erwartet, daß sie dem Verstorbenen im Zustand des Todes doch noch Leben verschafft. Dann also kennt man in diesem Spezialfall Auferstehung Toter und hofft auf einen Gott, »der Tote auferweckt und nicht Seiendes ins Sein ruft« (Röm 4,17). Paulus rechnet offenbar damit, daß dieses Argument bei den Korinthern Eindruck macht und gute Aufnahme findet. Darum entwertet er es nicht, wie er es eigentlich nach 1 Kor 10,1ff tun müßte, um den in dieser Praxis sich offenbarenden massiven Sakramentalismus zurechtzurücken, gegen den er dort Sturm läuft.

Des weiteren verweist Paulus auf seine *Existenz als Apostel* (V. 30-32a). Er ist ständig in Lebensgefahr. Sein Leben ist ein tägliches Sterben. Was nützte ihm das, wenn es nicht gerade den die Toten auferweckenden Gott gäbe?! Wenn Gott nicht gerade Tote auferweckt (V. 32), dann soll das carpe diem rundum Geltung haben, wie Paulus mit einem Zitat aus Jes 22,13 kundtut. Wenn es keine Rettung eben aus dem Tode gibt — wobei stillschweigend gilt: Noch ist der Tod nicht bezwungene Realität (15,26.29-32) —, dann gibt es keinen, der den Namen Gottes verdient (vgl. 1 Thess 1,9). Wer also den christlichen Gott, der sich in Christus gerade als der die Toten auferweckende Gott erwiesen hat (1 Kor 15,3b-5), nicht akzeptiert, der ist trotz seiner möglichen Hoffnung ohne Hoffnung (vgl. 1 Thess 4,13b). Darum soll er sein Leben ruhig führen nach dem Motto der Gottlosen (vgl. SapSal 2-3), die keine Hoffnung haben: »Lasset uns essen und trinken, denn morgen sind wir tot!«

Diese Auslegung versucht, Gegnerbild und apostolische Argumentation mit Hilfe des *paulinischen Gottesbildes* so in Einklang zu bringen, daß man ein Mißverständnis der gegnerischen Position auf der paulinischen Seite nicht notwendig annehmen muß. Sie setzt voraus, daß generell mit Röm 4,17 das Gottesbild des Paulus zutreffend beschrieben ist und daß es so auch die paulinische Theologie grundlegend bestimmt bis hin zu 1 Kor 15. Sie kann sich im Fall von 1 Kor 15,29-34 speziell darauf berufen, daß Paulus in der Tat nach Vers 34 auf die Unkenntnis beziehungsweise rechte Kenntnis Gottes abhebt. Wer umgekehrt die Interpretation des Abschnittes nicht übernehmen will, muß entweder mit einem Mißverständnis in bezug auf die Gegner rechnen (die Argumentation des Paulus richtet sich dann fälschlicherweise gegen Auferstehungsleugner überhaupt) oder eine andere gegnerische Front für Korinth annehmen (Paulus argumentiert dann in Kenntnis der Lage gegen rein diesseitig ausgerichtete Christen). Beides hat seine großen Probleme, die hier nicht noch einmal diskutiert zu werden brauchen.

8.6. Die Grundaussagen in 15,35-49

Mit 15,35ff setzt deutlich ein neuer Gedankengang ein, der meistens im Schatten des Interesses der Ausleger steht, denn wer 1 Kor 15 exegesiert, konzentriert sich in der Regel auf die Verse 1-34.[34] Die breiten Ausführungen des Apostels in 15,35ff lassen sich gut in *zwei größere Abschnitte* einteilen: *15,35-49* und *15,50-58*. Dabei beginnt der *erste Abschnitt* mit der Frage: »Wie werden die Toten auferstehen? Mit welchem Leib werden sie kommen?« (V. 35). Diese Doppelfrage,[35] die sich wechselseitig interpretiert,[36] sollte als ter-

---

[34] Eine jüngste Ausnahme macht *Schottroff*, Glaubende 136ff, die sich speziell den Dualismen in 15,35ff widmet.

[35] Es weist nichts zwingend darauf hin, daß V. 35 direkt korinthische Fragen aufgreift, die Paulus in der Form des überlegenen Spottes vorgehalten wurden, wie *Brandenburger*, Adam 72f, annimmt. Der Diatribenstil (dazu *Conzelmann*, z. St.), den Paulus verwendet, läßt eher daran denken, Paulus lockere durch Fragen seine Argumentation auf, die nach seiner Meinung die Problemlage aufhellen. Wichtig ist, das strittige Problem zwischen Korinth und Paulus zu erheben, wie es in V. 35ff insgesamt durchschimmert.

[36] *Jeremias*, Abba 304f, will die erste Frage in V. 50ff, die zweite Frage in V. 36ff beantwortet werden lassen, also entsprechend differenzieren. Aber weder greift V. 50ff die erste Frage unmittelbar auf (der Text setzt auch stilistisch neu ein), noch kann ein Leser in V. 35 solche Strukturierung überschauen. Er wird immer das »Wie?« in dem »Mit welchem Leib?« aufgenommen sehen. Dies spricht auch gegen die in der englischen exegetischen Tradition verbreitete Meinung, »Wie« stehe für »Ist es möglich, daß . . .« Auch dann wären beide Fragen verschieden. Vgl. dazu *Sider*, Conception 428ff. Die Frage, ob »es möglich ist, daß« Tote auferstehen, ist im übrigen bereits 15,20ff beantwortet. Auch *Conzelmann*, z. St., will zwar die zweite Frage als Präzisierung der ersten

minologisch nicht zu scharf formulierte Einführung zu den nachstehenden Erörterungen in den Versen 36-49 genommen werden, da die antwortenden Passagen eine etwas kompliziertere Diskussionslage, als den Fragen unmittelbar zu entnehmen ist, voraussetzen, die allerdings leider zum Teil nicht mehr mit wünschenswerter Distinktion rekonstruiert werden kann.

Die Ausführungen nach der zweifachen Frage setzen zunächst grundsätzlich voraus, daß Paulus von einem weltbildhaften Vorverständnis ausgeht: *Ohne Leiblichkeit keine Existenz.* Von dieser Annahme her erörtert er sein Problem in gut erkennbarer Strukturierung. Zunächst handeln die Verse 36-41 von der ersten Schöpfung und danach — auf die Beobachtungen an ihr aufbauend — die Verse 42-49 von der zweiten Schöpfung und ihrem Verhältnis zur ersten. Beide Teile sind abermals zweigeteilt, so daß zunächst die Verse 36-38 eine kleine Einheit bilden. Durch sie werden *drei Grundsätze* aufgestellt:

1. Was Menschen säen, muß erst sterben, um lebendig zu werden (V. 36).
2. Was Menschen säen, hat als Saat einen anderen Leib als die spätere Pflanze (V. 37).
3. Gott macht lebendig, indem er dem Samen einen neuen Leib gibt. Und zwar gibt Gott den Samenarten je einen verschiedenen Leib, jeweils nach seinem Beschluß (V. 38).

Paulus will damit ausführen, daß

1. die Abfolge: erst sterben, dann neues Leben, allgemeingeltendes Gesetz ist;
2. die Diskontinuität zwischen dem Leib vor dem Sterben und dem Leib danach feststeht;[37]
3. die Differenzierung der Arten der Leiber Gottes Willen entspricht.

---

verstehen, aber läßt dann doch die zweite zunächst (V. 39-41) und die erste sodann (V. 42-44) eine Antwort erhalten. Aber V. 35ff sind wohl überhaupt anders zu gliedern (s. u.).

[37] Auf diese Diskontinuität hebt *Schottroff*, Glaubende 136f, in einer so starken Weise ab, daß ihr ein »Gedankenfortschritt . . . in den Versen 36-38; 42-44« nicht mehr vorzuliegen scheint.

Diese drei Grundsätze sind für ihn ein geschlossenes Paket, das nicht aufgeschnürt werden darf.

Zum dritten Grundsatz macht Paulus sodann noch in den Versen 39-41 näherer Ausführungen, indem er die Differenzierung der Leibphänomene auf der horizontalen Ebene (Mensch, Landtiere, Vogelarten, Wassergetier) aufzählt (V. 39), um dann auf die vertikale Differenzierung einzugehen (V. 40f), nämlich auf Sonne, Mond und Sterne als himmlische Wesenheiten. Diese unterscheiden sich außerdem in ihrem Glanz (Herrlichkeitsgrad) untereinander und nochmals von den irdischen Leibphänomenen, die nicht abermals aufgezählt werden. Das Eingehen auf die horizontale Ebene ist nur gleichsam Vorbereitung für die Ausführungen auf der vertikalen, die dann auch später allein Bedeutung gewinnen.

Spätestens bei diesen Ausführungen des Paulus muß auffallen, wie sehr er auf dem (für ihn einheitlichen) *Schöpfungsbericht* der Genesis fußt: Sonne, Mond und Sterne treten in der Reihenfolge Gen 1,14-19 auf und werden ausdrücklich nach ihrer Leuchtkraft (Paulus deutet: Glanz, Herrlichkeitsgrad) eingeteilt. Die Tiere auf dem Lande, in der Luft und im Wasser werden Gen 1,20ff in umgekehrter Reihenfolge erschaffen und der Mensch als letzter und Krönung der Schöpfung (Gen 1,26ff). Paulus liest — wohl wegen seiner gezielten Ausrichtung auf den Menschen — also den Schöpfungsbericht gleichsam von hinten. Absichtlich wird in ihm die Artdifferenz der Tiere hervorgehoben (Gen 1,21), auf die der Apostel Bezug nimmt. Endlich wird man auch fragen, ob nicht die Erwähnung von Samen und Unterscheidung der Samen nach Arten — Paulus sagt Leibern — auf Gen 1,11f aufbaut. Wenn Paulus zudem festhält, dies tue Gott, »wie er beschlossen hat« (V. 38), dann ist dies eine sachgemäße Interpretation des Schöpfungsbefehls in Gen 1,11. Aufgrund dieser Beobachtungen ist zu konstatieren: Paulus beschreibt die erste Schöpfung in sinngemäßer Anlehnung an Gen 1, indem er den Schöpfungsbericht auf sein korinthisches Problem hin liest und interpretiert.

Nun, nachdem Paulus so von der Schöpfung gehandelt hat, kommt er zum *eigentlichen Ziel* seiner Ausführungen: »So ist es auch mit der Auferstehung der Toten« (V. 42). Man darf sich nicht verführen lassen, diesen Satz nur auf die Verse 39ff zu beziehen. Vielmehr hat Paulus in den Versen 36-41 von dieser Schöpfung gehandelt und tritt nun ab Vers 42 in die Besprechung der neuen Schöpfung, also der Auferstehung von den Toten, ein. Das geschieht, indem der Apostel die der ersten Schöpfung zugeordneten Prinzipien analog auf die zweite Schöpfung überträgt und den Übertragungsvorgang schwerpunktmäßig auch ausdrücklich aufarbeitet. Wiederum ist dabei eine Zweiteilung seiner Ausführungen erkennbar: 15,42b-44a und 15,44b-49.

Wie in der ersten Schöpfung Saatgut und Pflanze in Diskontinuität zueinander stehen und auch in unumkehrbarer zeitlicher Abfolge aufeinanderfolgen, so herrscht *Diskontinuität und irreversible Abfolge* zwischen dieser und der folgenden Schöpfung: »Es wird gesät (der Ausdruck nimmt V. 36f auf) in Vergänglichkeit, auferweckt in Unvergänglichkeit. Es wird gesät in Schande, auferweckt in Ehre. Es wird gesät in Schwachheit, auferweckt in Kraft. Es wird gesät ein psychischer Leib, auferweckt ein pneumatischer« (V. 42b-44a). Diese vier rhetorisch durchgeformten Antithesen wollen mit traditionellen Begriffspaarungen je dasselbe herausstellen: Im Rahmen des Themas von Vergänglichkeit und Unvergänglichkeit — diese erste Antithese gibt den leitenden Gesichtspunkt an — muß der irdische Mensch erst sterben, danach wird er durch Auferstehung von Gott in Diskontinuität zum irdischen einen pneumatischen Leib erhalten. Diese letzte Antithese ist dabei die bewußt gewollte anthropologische Zielaussage, die zugleich das stichwortartige Begriffspaar für den nächsten Gedankenschritt abgibt. Erkennbar ist weiter, daß Paulus neben den vorherrschenden Prinzipien unumkehrbarer Abfolge und Diskontinuität auch des dritten Prinzips der Artendifferenzierung eingedenk bleibt. War in den Versen 40f die Differenzierung durch den Begriff »Herrlichkeit« aufgeschlüsselt, so begegnet dieser Begriff in anderer Nuancierung in der zweiten Antithese erneut.

Formal analog zur Spezifizierung, wie sie in den Versen 39-41 in bezug auf den dritten Grundsatz aus 15,36-38 vorgenommen wurde, detailliert Paulus nun die letzte Antithese aus Vers 44 in einem *zweiten Teilabschnitt*: 15,44b-49. Diese Verse stehen inhaltlich begründend dafür ein, daß die vorangestellte These aus Vers 44b: »Gibt es einen psychischen Leib, so gibt es auch einen pneumatischen«, ihre schriftgemäße an den menschheitsbestimmenden Gestalten des ersten und zweiten Adam orientierte Begründung erfährt. So wird zunächst in den Versen 44bf mit erneutem Rekurs auf den Schöpfungsbericht (hier mit Bezug auf Gen 2,7) begründet, daß es von Anfang an Bestimmung Gottes war, den *ersten und zweiten Adam als menschheitsbestimmende Universalgestalten* zu schaffen. Dabei ist zu beachten, daß im Sinne des Apostels offenbar nicht nur die Erwähnung des ersten Adam, sondern auch die des zweiten in Vers 45b exegetischer Extrakt aus dem Schöpfungsbericht ist.[38] Dies muß mit der doppelten Schilderung der Erschaffung des Menschen in Gen 1 und 2 zusammenhängen.[39] Da Paulus zudem diese Exegese in Kurzform wie selbstverständlich einführt, muß sie ihm und den Lesern bekannt gewesen sein. Ist es auch kaum möglich, die genaue exegetische Tradition zu bestimmen, so muß doch festgehalten werden, daß Paulus auf einer solchen aufbaut. Außerdem ist daran zu erinnern, daß der Apostel mit diesen Ausführungen erneut am Thema aus 1 Kor 15,21f arbeitet.

Diese Schriftthese wird alsbald betont näher erläutert, also gleichsam eine *Exegese* zu ihr *mit Folgerungscharakter* geliefert (V. 46-49): Einmal — so betont Paulus — liegt die zeitlich-geschichtliche Abfolge der beiden Universalgestalten fest. Der zweite Adam, der das Pneumatische vertritt, gehört nicht vor den ersten Adam. Damit ist das parallele Korrespondenzverhältnis zwischen Tod und nachfolgenden Leben für die Menschen einerseits (vgl. V. 42-44) und für die Abfolge der beiden Menschheitsrepräsentanten andererseits aufgewiesen. Weiter: Wie die Auferstehung des Menschen zur himmlischen Herrlichkeit gehört (V. 43), so verdankt sich die Gestalt des zweiten Adam dem Himmel, hingegen gehört der erste zur Erde (V. 47 mit erneutem Anklang an Gen 2,7). Endlich wird dann im Entsprechungsverhältnis geklärt, daß alle Adamiten wie der erste Adam von der Erde sind und das Bild des Irdischen tragen, beziehungsweise wie alle zu Christus, dem Himm-

---

[38] Dies betont *Conzelmann*, z. St., mit Recht.

[39] Formal erinnert dies doch wohl am ehesten an die philonische Tradition, vgl. dazu den gerafften Überblick bei *Conzelmann*, 1 Kor, Exkurs: Adam und Urmensch 338ff; außerdem ausführlicher: *Brandenburger*, Adam 117ff; *Schenke*, Gott: passim; *Schottroff*, Glaubende 115ff.

lischen, Gehörenden dessen Charakteristik haben, jedoch das Bild des Himmlischen erst tragen werden (Futur!). Dieses Futur ist durch die Verse 36f.43f begründet. Himmlisch sein heißt, auferstanden sein, das aber geht nur über den Tod. So intendiert Paulus wohl auch zu Vers 47b die Aussage: Christus ist »aus dem Himmel« als dem ihn nunmehr bestimmenden Ursprungsort aufgrund der Auferstehung.

Vergegenwärtigt man sich nach dieser Textbetrachtung die *Schwerpunkte* im gesamten Abschnitt und vermeidet die eher willkürliche Herausnahme einzelner Aussagen als unmittelbar polemische, so ergibt sich: Die drei Grundsätze des ersten Teiles werden bei Vorrangigkeit der ersten beiden von Paulus für die Erörterung der Frage nach dem Wie der Auferstehungswirklichkeit reklamiert. Wer dies wie Paulus so breit tut, muß hier einen Gegensatz zu seinen Gesprächspartnern vermuten. Zum anderen weist die abermalige absichtsvolle Verarbeitung des Themas vom ersten und zweiten Adam den Interpreten an, wie schon zu 15,21f bei den Korinthern mit einer Adam-Christus-Spekulation zu rechnen. Ob die Annahme schon zu weit geht, nicht nur Paulus, sondern auch die Korinther hätten diese These an Gen 1-2 entfaltet? Dann könnte Paulus eventuell — wie seine Gegner von Gen 1,26ff und 2,7 ausgehend — die Textbasis für die Gesamtproblematik und ihre Lösung in seinem Sinn erweitert haben um die Anspielungen in 1 Kor 15,36ff. Versagt man sich eine weitere Verfeinerung in der polemischen Grundsituation, um der Hypothetik keinen allzu großen Vorrang zu geben, dann kann man jedenfalls prinzipiell festhalten, daß die bisher strukturell angenommene Gegnerposition auch hier den Unterschied zu Paulus abgeben kann. Denn die Irreversibilität der Abfolge Tod — Auferstehung, die Unterschiedenheit der irdischen und der himmlischen Wirklichkeit und endlich auch die theoretische Basis in Gestalt der Gegenüberstellung von Adam und Christus wurde schon von der bisherigen Exegese zu 1 Kor 15 mit dieser Annahme zur Deckung gebracht.

Für die *innere Kohärenz der paulinischen Theologie* fällt noch ein schon mehrfach in 1 Kor 15 beobachtbarer Aspekt in die Augen: Der regelmäßige Rekurs auf den Schöpfungsbericht, die Betonung der Diskontinuität und der unumkehrbaren Abfolge bei Saat und

Ernte beziehungsweise bei Vergänglichkeit und Unvergänglichkeit machen einsichtig, daß Paulus abermals in Konformität zu seinem Gottesbild, wie es Röm 4,17 zum Ausdruck kommt, denkt und formuliert: Weil diese Schöpfung und die neue Schöpfung so zueinander in Beziehung gesetzt werden, daß der »Gott, der Tote lebendig macht und nicht Seiendes ins Sein ruft« sein Werk ausführt, darum sind die genannten Elemente für Paulus entscheidend und unaufgebbar. Von hier aus läßt sich auch ein alter exegetischer Streit lösen, bei dem es darum geht, ob für Paulus irdischer Leib und pneumatischer Leib im »Leib« ihre betont artikulierte Kontinuität besitzen: Der Argumentationsgang verbietet es geradezu, ontische Kontinuität zu vermuten.[40] Wie erster und zweiter Adam durch ihren Ursprung (V. 47) absolut getrennt sind, so sind es auch diejenigen, die je zu diesen beiden Gestalten gehören. Will man überhaupt Kontinuität formulieren, dann muß man Paulus so verstehen, daß sie im Tote auferweckenden Gott liegt. Dies allein ist theologisch für Paulus bedeutungsvoll.

Theologiegeschichtlich sind an diesem Abschnitt drei Aspekte von Relevanz, die eine gemeinsame Erklärung erwarten, weil sie zusammen für ein Gesamtphänomen stehen. Einmal fehlt in ihm ganz der Blick auf die nahe Parusie, der bisher — einschließlich 1 Thess 4 — das Koordinatensystem abgab, in dem Eschatologie überhaupt nur gezeichnet wurde. Die Grunddimension eschatologischer Theologie ist verlassen. Es dominiert ein mehr zeitlos-statisches Weltbild. So wird zweitens die Differenzierung zwischen irdisch und himmlisch, also zwischen unten und oben, zu einer neuen grundlegenden Ausrichtung. Weiter erhält der Gegensatz Vergänglichkeit — Unvergänglichkeit eine herausragende Vorherrschaft. Seine weltbildhafte Verortung deckt sich mit der unteren irdischen Welt und dem Gegenüber in der oberen himmlischen Welt. Es geht also *tendenziell* um »*Wesensbestimmungen*«, um Erörterung im zeitlosen Gegenüber von oben und unten. Darum kann nicht von ungefähr die geschichtlich orientierte Naherwartung der Parusie ihrer bisher leitenden Ordnungsfunktion — zumindest auf Zeit — enthoben werden. Paulus kommt auf sie alsbald in 15,50ff erneut zu sprechen,

---

[40] Vgl. dazu *Schottroff*, Glaubende 143f.

verändert hier aber typischerweise im Sinne der aufgewiesenen neuen Gesichtspunkte, wie noch aufzuzeigen ist. Da Paulus namentlich in 15,20ff mit dem eschatologischen Vorbehalt als Grundtenor gegenüber den Korinthern, also mit Hilfe apokalyptischer Eschatologie, arbeitet, wird Paulus wahrscheinlich durch Korinth gezwungen, auch selbst teilweise mehr statisch-wesenhaft zu denken. Dadurch erhalten seine Ausführungen eine neue Dimension: Christliche Soteriologie wird nun entfaltet im Sinne grundsätzlicher Überwindung von Vergänglichkeit und muß sich messen lassen an der Fähigkeit, sich in dem neuen Horizont zu bewähren, ja an der Wandlungsfähigkeit beurteilen lassen, ob sich die zunächst zum neuen Problem sperrige Tradition durch Neuinterpretation und Erweiterung über den alten Horizont hinaus aktualisieren läßt.

Bei der Erörterung dieser eben genannten drei Aspekte erwies sich die Zurückstellung der Parusieerwartung als typisch. Auffällig ist nun, daß sich dadurch noch eine weitere ehedem selbstverständliche Gegebenheit — jedenfalls tendentiell — verändert. Die alte Parusieerwartung rechnete mit der Erlösung der christlichen Gemeinde als einer Ganzheit. Christus kam zu der Gemeinde, und damit wurde das einzelne Glied derselben am Erlösungsvorgang beteiligt. In 15,35ff hat sich auch hierin die Lage verschoben: Die *Erlösung* ist hier in der Struktur *tendenziell individuell*. Insofern der einzelne an der überindividuellen Heilsperson des zweiten Adam partizipiert, gehört er auf die Seite der Unvergänglichkeit. Man kann auch so sagen: In 15,35ff setzt der Übergang von der Verweslichkeit in die Unverweslichkeit den Tod des einzelnen voraus, nicht aber apokalyptische Endereignisse. Offenbar erkennt Paulus diesen Mangel und versucht, ihn mit 15,50ff auszugleichen. Man kann dann vergleichen: Wie Paulus die enthusiastischen Individualisten (vgl. 1 Kor 6,12ff; 12-14) zu einer gemeinschaftsbezogenen Lebensverwirklichung zurücklenkt, so entschärft er den — jedenfalls drohenden — Individualismus in der Soteriologie, dem er zeitweilig weit entgegenkommt (vgl. 15,34ff), durch erneute Reflexion über die apokalyptischen Elemente im Zusammenhang mit der Parusieerwartung (15,50ff).

Diese Beobachtungen können noch eine Zuspitzung erfahren, insofern mit ihnen erklärt werden kann, warum die Frage nach dem

Wie der Auferstehung, spezifiziert als *Frage nach der Leiblichkeit,* gerade in diesem neuen Horizont auftritt — erstmals im Urchristentum. Wer die Hoffnung entfaltet als Erwartung des bald kommenden Herrn und wer zwischen der Heilsgemeinde jetzt und dann stillschweigend Kontinuität voraussetzt, wer endlich die endzeitliche Heilsverwirklichung direkt oder indirekt unter dem Aspekt der Kontinuität der Schöpfung sieht und damit auch den Heilsort irdisch ansetzt, der hat gar keine Veranlassung, von Vernichtung der Vergänglichkeit durch Auferstehung oder Verwandlung zu sprechen, weil sich ihm ein derartiges Problem gar nicht stellt. Geraten allerdings irdische Wirklichkeit und Endheil unter dualistische Aspekte, wie zum Beispiel den der grundsätzlichen Geschiedenheit von Vergänglichkeit und Unvergänglichkeit, und werden diese Dualismen zugleich aufgeteilt in irdisch und himmlisch, dann allerdings wird der Übergang von dem einen Status in den anderen zum brennenden Problem.

8.7. 15,50-58 ALS REINTERPRETATION VON 1 THESS 4

Mit »Das stelle ich fest, Brüder . . .« beginnt ein letzter Gedankengang (wie 1 Kor 7,29). Paulus formuliert etwas abrupt einen eschatologischen Lehrsatz, der eine Negativklausel für den Eintritt in die Gottesherrschaft festhält. Dies wird in der positiven Aussage aufgegriffen, daß die Gemeinde unter diese Negativbedingung nicht fallen wird (V. 51f). Anschließend wird in Form einer Inklusion festgehalten, daß die in bezug auf die Gemeinde außer Kurs gesetzte Bedingung allgemeine Geltung hat (V. 53). Gegenüber 15,35-49 hat sich zugleich der Stil gewandelt. Hatte jener Abschnitt keine Anrede, vielmehr Verba in der dritten Person, und stand er vornehmlich unter dem Einfluß des Diattribenstils, so hat sich diese Lage verändert: Die persönliche Anrede wird betont gesucht (V. 50.51f), und es herrscht der Stil apokalyptischer Belehrung. Endlich verlagert sich auch das Thema insofern, als der Gesichtspunkt der Verwandlung anläßlich der Parusie in den Versen 35ff der Sache nach ausgeblendet war.[41]

---

[41] Die Meinungen über die Zuordnung von V. 50 sind sehr geteilt, vgl. *Jeremias,* Abba 302, und *Conzelmann,* z. St.

Vers 50 enthält in jedem Fall *traditionelle Elemente.*[42] Ob jedoch sein ganzer Umfang mit dem Wortlaut: »Fleisch und Blut können das Gottesreich nicht ererben, noch kann die Vergänglichkeit die Unvergänglichkeit ererben«, Paulus vorgegeben ist, bleibt recht fraglich. Zunächst ist sicher, daß die Form analog solchen Sätzen wie Mt 5,20; Mk 10,15; Joh 3,3.5; 1 Kor 6,9f; Gal 5,21 zu beurteilen ist. Es geht also um eschatologische Belehrung über die Einlaßbedingungen in die Gottesherrschaft. Allerdings zeigen alle Parallelen, daß jeweils christliches Verhalten und eschatologische Folge zusammengebunden sind, nie aber dem Menschen nicht verfügbare Grundbedingungen, wie etwa die Vergänglichkeit, genannt werden. »Vergänglichkeit« und »Unvergänglichkeit« sind thematische Leitbegriffe im voranstehenden Abschnitt: Greift Paulus auf sie kontextgebunden zurück? Dann müßte man die zweite Hälfte der Belehrung als paulinische Epexegese zur ersten Hälfte verstehen. Oder hat man gerade in Korinth den vollen Satz verwendet, und Paulus zitiert ihn, um insoweit seine Übereinstimmung mit den Gegnern auszudrücken? Jedenfalls gehören die Schlagworte von der Vergänglichkeit und Unvergänglichkeit doch offenbar zum sprachlichen Repertoire der Korinther. Aber diese sachlich gut denkbare Annahme hat eine stilistische Schwierigkeit: Paulus führt den Satz neu ein und gibt nicht zu verstehen, daß er damit gerade seine Gegner zitiert. Allerdings weiß er sich wohl doch in bezug auf Vers 50 in Übereinstimmung mit ihnen.[43]

Im ersten Teil des Lehrsatzes ist in jedem Fall die Formulierung vom »Ererben der Gottesherrschaft« Paulus als Tradition vertraut (vgl. 1 Kor 6,9f; Gal 5,21). Die Ausdrucksweise »Fleisch und Blut« gebraucht Paulus noch einmal als Gegensatz zu Gott (Gal 1,16). Sie ist jüdischen Ursprungs. So kann man argumentieren, Paulus (oder schon die Korinther) hätten diesen Teil des Lehrsatzes vorgefunden und den zweiten Teil interpretierend angefügt. Man kann aber auch annehmen, Paulus selbst habe überhaupt mit vorgegebenen

---

[42] Zur Auslegung vgl. *Schweizer*, in: ThWNT VIII 128.

[43] Wie so oft stellt Paulus bei einer strittigen Frage zunächst den Konsens fest, um dann, auf ihm fußend, den Streitfall zu erörtern: 15,3b-5 ist ein schon behandeltes gutes Exempel. Sonst vgl. nur 1 Kor 8,1a.4-6; 12,2 usw.

Elementen den Lehrsatz geformt. Denn alle in ihm enthaltenen traditionellen Elemente sind ihm auch sonst bekannt. Er führt den Satz als seine Meinung ein (»Das sage ich, Brüder . . .«),[44] und nach Ausweis des 1. Thessalonicherbriefs ist für ihn das Gottesreich identisch mit dem Zustand nach der Parusie (2,12; 4,13ff). Diese Meinung vertritt nun auch 1 Kor 15,50ff. So fällt ein endgültiger Entscheid schwer, doch scheint es sicherer anzunehmen, daß Paulus einen synonymen Parallelismus bildet,[45] indem er auf traditionelle Elemente und korinthische Zentralbegriffe zurückgreift.

Vom Gedankengang her faßt Paulus mit dem Satz thetisch zusammen, was in 15,34ff herausgearbeitet wurde, um — von ihm ausgehend — nun betont die Dimension zu behandeln, die 15,35ff ausgeblendet war: die *Parusieerwartung*. In Verfolgung dieses Themas muß er zuerst in Vers 51 das gegenüber 1 Thess 4,13ff veränderte Situationsbewußtsein artikulieren. Waren dort das Erleben der Parusie der unbestrittene Normalfall und wenige vorzeitig Verstorbene als Störfaktor bisheriger zuversichtlicher Hoffnung die erklärungsbedürftige Ausnahme, so werden nun die lebenden Christen als eine geschlossene Gruppe nicht insgesamt bis zur Parusie sterben. In dieser Negativformulierung »alle werden wir nicht entschlafen« ist eingefangen, daß Todesfälle zur Normalität geworden sind.[46] Unter dieser Voraussetzung kann Paulus nun als erstes belehren: »Alle werden wir nicht entschlafen,[47] alle werden wir jedoch verwandelt werden . . .«.

Schon das doppelte anaphorische »alle« macht klar: Paulus zielt auf die *Gleichbehandlung* aller Christen, der bei der Parusie lebenden und der vorzeitig verstorbenen. Die nicht wegdiskutierbare Ausnahmslosigkeit, die im Satz: »Alle müssen verwandelt werden«, herrscht, hebt sich markant ab von der eben zuvor konstatierten

---

[44] Solche Artikulation der direkten Differenz nach einem einleitend formulierten Konsens (dazu vgl. die vorige Anm.) findet sich auch 1 Kor 8,1b-3.7; 12,3; 15,12ff usw.

[45] Der Versuch von *Jeremias*, Abba 298ff, die erste Hälfte des Parallelismus auf die Lebenden, die zweite auf die Gestorbenen zu beziehen, darf als kontextfremd bezeichnet werden (vgl. *Conzelmann*, z. St.).

[46] Vgl. dazu ausführlicher *Klein*, Naherwartung 250ff.

[47] Zur textkritischen Situation vgl. *Conzelmann*, z. St.

Differenzierung der »alle« in Sterbende und Überlebende. Unbeschadet dieser letzten Doppelmöglichkeit sind alle ohne Ausnahme wiederum vereint bei der Verwandlung. Dies stimmt im Blick auf das formale Gleichrangigkeitsprinzip mit 1 Thess 4 überein. Allerdings bleiben Differenzen beachtenswert, die dann zutage treten, wenn man untersucht, in welcher Modalität die Gleichbehandlung verwirklicht wird. In 1 Thess 4,13ff brachte die wiedererlangte somatische Existenz der vorzeitig Entschlafenen diese zeitlich und existentiell in dieselbe Situation wie die Überlebenden. So waren Kontinuität, Vollzähligkeit und Gleichrangigkeit für die gesamte Gemeinde gegeben. Dabei orientierte sich diese Problemlösung am Normalfall der Überlebenden. Verschiebt sich jedoch der Proporz zwischen Lebenden und Gestorbenen, dann muß die Auferstehung Toter auch an Normalität gewinnen und statt Ausnahme nun apokalyptischer Normaltopos werden.[48] Unter dieser Voraussetzung stehen auch in der Tat die paulinischen Ausführungen in 1 Kor 15,50ff. Das ist also die erste Veränderung.

Aber damit ist noch nicht erklärt, warum Paulus überhaupt zur Bewahrung des Prinzips der Gleichrangigkeit aller Christen zu etwas Neuem greift, um diese zu gewährleisten. Dies Neue ist das *Verwandlungsmotiv* als einer noch viel fundamentaleren Veränderung gegenüber 1 Thess 4 im Verhältnis zur Verschiebung im Bewußtsein eschatologischer Naherwartung. Die Verwandlungsvorstellung soll nun die Gleichrangigkeit in neuer Modalität unter der Voraussetzung der Diskontinuität aus 15,35ff[49] gewährleisten. War die Gleichrangigkeit in 1 Thess 4,17 orientiert am Beisammensein mit dem Herrn, so fehlt dieses Motiv in 1 Kor 15,50ff überhaupt, ja die Parusie Christi verschwindet in der Darstellung ganz aus dem Blickfeld (natürlich, ohne daß Paulus sie sachlich für erledigt hält!). Die Gleichrangigkeit aller Christen wie überhaupt das Ziel der Endereignisse ist neu gefaßt: Todesvernichtung (V. 53-55) durch gleichen Besitz der Unsterblichkeit nach den 15,35ff diskutierten

---

[48] *Klein*, Naherwartung 255f, überzieht die Argumentation, wenn er aus dem Situationswechsel in bezug auf die Naherwartung zwischen 1 Thess 4 und 1 Kor 15 erklären will, daß darum Paulus notwendig 1 Kor 15,51 sogar das Verwandlungsmotiv einbringen mußte.

[49] Vgl. *Schottroff*, Glaubende 145.

Bedingungen. Dies gewährleistet die Verwandlung, und darum müssen alle bei der Parusie lebenden und toten Christen verwandelt werden. Dabei schleicht sich eine schon mehrfach in 1 Kor 15 erkannte Inkonsequenz ein: Ist das Todesproblem Menschheitsproblem, dann ist der eschatologische Sieg über den Tod nur dann gegeben, wenn alle Menschen ihm entkommen. Aber dies kann und will Paulus wiederum nicht sagen: Er beschränkt — vom Ansatz in 15,3b-5 her konsequent — das Endheil auf alle Christen.

Nun kann es nicht zweifelhaft sein, daß diese totale Umorientierung gegenüber 1 Thess 4,13ff durch die korinthische Situation bedingt ist, wie sie aus der bisherigen Analyse von 1 Kor 15 erhoben wurde. Man kann auch sagen: Das 15,35ff außerhalb des eschatologischen Bezugsrahmens erörterte Problem wird nun von Paulus in den traditionellen christlichen Erwartungshorizont eingezeichnet, und damit wird des Apostels verbalisierte Hoffnung aus 1 Thess 4,13ff umgeschmolzen, so daß ein Problemlösungsversuch[50] herauskommt, der der korinthischen Situation gerecht werden kann.

Bevor der Fortgang der paulinischen Erörterung betrachtet wird, muß noch gesondert auf den bisher übersprungenen *Einführungssatz in Vers 51* zurückgelenkt werden: »Siehe, ich sage euch ein Mysterium . . .«. Diese Einführung ist durch den Begriff des *Mysteriums*[51] eindeutig von der Einführung in Vers 50 unterschieden. Da nach 1 Kor 13,2 die Mysterien Gottes in der Prophetie enthüllt werden, wird man auch für 1 Kor 15,51 mit einer prophetischen Offenbarung zu rechnen haben. Eine gute Analogie ist dann aus 1 Thess 4,15 die Einführung: »Dies sagen wir euch in einem Herrenwort . . .«. Beide Male handelt es sich zudem um apokalyptische Prophetie, durch die nicht ohne weiteres erklärbare Probleme im Blick auf die erwartete Zukunft gelöst werden unter dem ausdrücklichen Zeichen besonderer göttlicher Legitimation. Eine dritte Analogie bietet Paulus Röm 11,25, wenn er dort den Satz: »Verstockung ist über Israel (nur) teilweise gekommen, bis die Vollzahl der

---

[50] Der Ausdruck ist bewußt gewählt, denn auch Paulus selbst hätte wohl als Mangel empfunden, daß in 15,50ff nur ganz am Ende (V. 57) einmal an Christus erinnert wird und die Parusie, zu der er zur Darstellung ansetzt, dann eigentlich wörtlich gar nicht stattfindet.

[51] Vgl. dazu G. *Bornkamm*, in: ThWNT IV 829.

Heiden eingegangen sein wird. Dann wird ganz Israel gerettet werden«, als Mysterium einführt.

Allerdings zeigen alle drei Stellen ein gemeinsames Problem: Jeweils ist die *Abgrenzung* des geoffenbarten Spruches vom Kontext nicht ganz einfach, weil Paulus ihn mit dem Gedankengang eng verwebt. In 1 Kor 15,51 wird der Satz: »Alle werden nicht entschlafen. Alle werden jedoch verwandelt werden«, zum prophetischen Wort gehören. Mehr Text ist nicht nötig, da Gedankengang, Pointe und Problemlösung vollständig sind. Doch kann man die drei folgenden sachlich identischen Zeitbestimmungen (»in einem Nu, in einem Augenblick, bei der letzten Posaune«) noch hinzuzählen, weil erst nach ihnen der begründende Stil erläuternder Auslegung mit Sicherheit einsetzt. Dagegen kann man wiederum einwenden: Das geraffte Zeitverständnis, das eine Ausdehnung für die Ereignisse am Ende bis zur Preisgabe der Anschaulichkeit nicht zuläßt, liegt auch 1 Thess 4,16 vor, wo zudem das Posaunenmotiv direkt begegnet. Somit könnte Paulus den Spruch um Elemente aus 1 Thess 4 erweitert haben. Jedoch unbeschadet der Nähe zu 1 Thess 4,16 tauchen die Formulierungen »im Nu, in einem Augenblick« dort so gar nicht auf, und die »Posaune Gottes« aus 1 Thess 4,16 heißt in 1 Kor 15,52 die »letzte Posaune«. Zudem ist das Motiv typisch apokalyptisch.[52] So geht man wohl doch sicherer, wenn man diese drei Zeitbestimmungen dem prophetischen Wort zurechnet.

In jedem Fall weiß Paulus mit ihnen *Grundzüge aus 1 Thess 4* gut wiedergegeben, und eindeutig bezieht er sich in den folgenden Erläuterungen auch auf 1 Thess 4,16-17, wenn er fortfährt: »Denn man wird die Posaune blasen (= 1 Thess 4,16: ›mit der Stimme des Erzengels und mit der Posaune Gottes‹), und die Toten werden auferweckt werden (1 Thess 4,16: ›Die Toten in Christus werden zuerst auferstehen‹) als Unvergängliche. Und wir (1 Thess 4,17: ›danach werden wir, die Lebenden, die Zurückgebliebenen . . .‹) werden verwandelt werden«. Zu klären ist allerdings, wieweit sich trotz dieser Anklänge in 1 Kor 15,52 nicht ein weitgehend *neuer Gedankengang* ergibt.

Ausgangspunkt für die Sinnerhellung soll die Beobachtung sein,

---

[52] Vgl. oben unter 6.3. Anm. 10.

daß Paulus von *zwei Gruppen* redet. Die einen führt er distanziert ein als »die Toten«. In keinem Fall rechnet er sich dazu, noch einfach alle Korinther. Die anderen sind »wir«, also Paulus und die dann noch lebenden Christen.[53] Dann entsteht allerdings zu den »Wir alle« in Vers 51 eine Unausgeglichenheit. Die, die dort nicht alle entschlafen werden, sind nun zum Teil unter die Toten und zum Teil unter die noch Lebenden verbucht (ohne Prozentangaben!). Dieser unterschiedliche Gebrauch des »Wir« läßt sich aber erklären: Er stammt in Vers 51 aus einem Herrenwort, das ein kontextunabhängiges Mysterium bietet. In Vers 52 differenziert Paulus zwischen Toten und Lebenden wie in 1 Thess 4,16f.

Wie aber wird dann die nach Vers 51 für alle zu fordernde Verwandlung durchgeführt? Der Vergleich mit 1 Thess 4,16 gibt einen Hinweis: Die Auferstehung der Toten erhält dort keinen Zusatz, wie hier in 1 Kor 15,52: »als Unvergängliche«. Dieser Zusatz entspricht der Problemlage aus 15,42 und bedeutet im Blick auf die Thematik der Verwandlung: *Auferstehung und Verwandlung fallen zusammen.* Denn die Verwandlung ist ja die Möglichkeit des Übergangs vom Status der Vergänglichkeit in den der Unvergänglichkeit unter der Voraussetzung der Diskontinuität aus 15,35ff. Eben dies wird sich auch an den dann noch Lebenden ereignen — sie bedürfen nur nicht zugleich auch noch der Auferstehung. Diese beiden Verwandlungsvorgänge[54] sind wohl in bezug auf die personalen Objekte zu unterscheiden, jedoch wegen der Zeitangaben in Vers 52 nicht nacheinander zu ordnen.[55] In jedem Fall: Der Forderung aus Vers 51 nach der Verwandlung aller ist voll Genüge getan. Auch bleibt die Verwandlung ein einheitliches Geschehen.

Ein Hinweis auf die *korinthische Problemlage* sei noch angefügt. Zwar ist der Text nicht unmittelbar polemisch ausgerichtet, aber man kann rekonstruieren: Die Korinther werden kaum Paulus hinsichtlich 15,50ff freudig zugestimmt haben, werden sie doch in bezug auf die Ansetzung der Verwandlung anläßlich der noch ausstehenden Parusie sich dahingehend erklärt haben, daß Verwand-

---

53 Anders *Klein*, Naherwartung 252.
54 Mit ihnen rechnet auch *Jeremias*, Abba 305.
55 Paulus vermeidet wohl auch bewußt die Formulierung »zuerst . . ., danach« aus 1 Thess 4,16f.

lung vor dem Tod vermittels der Gabe des Geistes erfolgen müsse. Paulus verzichtet auf direkte Auseinandersetzung, weil er seine Argumentation vornehmlich aus 15,35ff voraussetzt. Wichtig ist, daß er weitgehend das korinthische Problem aufgreift und dabei 1 Thess 4,13ff erheblich abändert. Unnachgiebig bleibt er in der Ablehnung des korinthischen Vollendungsbewußtseins. Ihm stellt er gerade auch 15,50ff entgegen, daß Vollendung ins Futurum gehört, also Hoffnungsgut ist.

Wenn diese Annahme soweit im Recht ist, kann ungefähr so weiter erörtert werden: Paulus hat in Korinth zunächst etwa im Sinne von 1 Thess 4,13ff früher die Hoffnung ausgelegt. Damit kannten die Korinther die paulinische und allgemein urchristliche Parusieerwartung. Nun zeigt der Duktus von 15,50ff, daß Paulus auch die Parusie als solche gar nicht begründen muß. Gerade daß er sie sinngemäß meint, ohne sie wörtlich zu nennen, spricht für diese Annahme, ebenso der schon erhobene Befund des 1. Korintherbriefs insgesamt. Also hatten offenbar schon die Korinther, deren weltbildhafte Grundlagen hinter 15,35ff stehen, zwischen diesen von Haus aus nicht endgeschichtlich orientierten Kategorien und der Parusieerwartung einen »Kompromiß« geschlossen, nur eben einen anderen, als es Paulus wünschenswert erschien. Also mußte es das Anliegen des Paulus sein, den Sachgehalt von 1 Thess 4,13ff auf das neue Problembewußtsein hin zu gestalten, das heißt, die Verwandlungsproblematik als Überwindung von Vergänglichkeit einzubringen.

Paulus endet nach der Neufassung von 1 Thess 4,16ff mit einer abschließenden Aussage, die unter Rückgriff auf Vers 50 und Vers 42 die *Überwindung des Todes* als eigentliches eschatologisches Ziel herausstellt: »Denn dieses Vergängliche muß Unvergänglichkeit anziehen und dieses Sterbliche Unsterblichkeit. Wenn aber dieses Vergängliche Unvergänglichkeit anzieht und dieses Sterbliche Unsterblichkeit, dann wird das Wort erfüllt, das geschrieben steht: Der Tod ist verschlungen in den Sieg. Tod, wo ist dein Sieg? Tod, wo ist dein Stachel?« (V. 53-55). Der getragene Stil (Parallelismus membrorum, Zitat aus Jes 25,8 und Hos 13,14) ist als Abschluß gewollt. Paulus endet mit einer dem hymnischen Stil nahestehenden triumphierenden Aussage. So gewiß ist immerhin auch Paulus die Todesvernichtung! Der Sinn der Aussage kann kein anderer sein, als er durch 15,42.50 vorprogrammiert ist. Das heißt, Paulus konstatiert für das Eschaton die grundsätzliche und endgültige Überwindung der Vergänglichkeit als Signatur dieser Welt. Das Ende besteht im Sieg Gottes, nicht im Sieg des Todes. Der Tod, von dessen endzeitlicher Vernichtung in einer mythisch-personalisierten Form 15,26 schon geredet war, wird dadurch um seinen Sieg und um seine Existenz gebracht, daß die menschliche[56] Sterblichkeit verwandelt wird zur Untserblichkeit. Wenn anders diese Programmatik vom Gesamtduktus her angelegt ist und wenn ebenso in Vers 52 trotz besprochener Unterscheidung die Verwandlung ein einheitlicher Akt bleibt, dann wird man in diesen Ausführungen nicht zwei verschiedene Verwandlungsvorgänge sehen dürfen,[57] sondern mit synonymen Parallelismen rechnen müssen. Die betont vertretene Gleichrangigkeit der Toten und Lebenden fordert ihre gemeinsame Unterstellung unter die Vergänglichkeit, das heißt zugleich Sterblichkeit.[58]

Theologiegeschichtlich ist noch zweierlei nachträglich zu notieren: Einmal führt Paulus unter dem Druck der korinthischen Theologie einer präsentischen Heilsvollendung, die offenbar von einer Verwandlung zur Unsterblichkeit aufgrund der Gabe des Geistes sprach, das *Verwandlungsmotiv* erstmals in den Zusammenhang urchristlicher Eschatologie ein.[59] Zum anderen verarbeitet Paulus ebenfalls unter Aufgriff der *Gewandsymbolik* aus der korinthischen Sakramentsauffassung (dazu vgl. 7.1. und 7.2.) erstmals im Rahmen der Eschatologie das Motiv des »Anziehens« (15,53f). Verwandlungsvorstellung und Gewandsymbolik werden aufgrund des eschatologischen Vorbehalts ins Eschaton verlagert: Zwischen himmli-

---

[56] So ist es sachlich gefordert. Paulus grenzt aber erneut ein: Nur für die Christen gilt diese Aussage.

[57] Gegen *Jeremias*, Abba 305. Weitere Argumente gegen diese Auffassung finden sich bei *Conzelmann*, z. St.

[58] 1 Kor 15,56-58 bringen keinen wesentlichen neuen Gesichtspunkt mehr für die vorliegende Themenstellung und können darum übergangen werden.

[59] Daß »die Verwandlung bei der Parusie . . . eine originale paulinische Konstruktion« ist, betont *Schottroff*, Glaubende 146. In der obigen Einschränkung ist dem zuzustimmen.

scher Identität mit Christus und irdischer Existenz herrscht (gegen Korinth) Diskontinuität.

Es gibt nun ein urchristliches Lied, das zeitlich nur wenig später als der 1. Korintherbrief anzusetzen ist und in gewisser — wenn auch selbständiger — Weise in Kontinuität zu 1 Kor 15 die Verwandlungsproblematik aufarbeitet. Gemeint ist Phil 3,20f. Zu diesem Text soll nun übergegangen werden.

Dazu vergewissern wir uns abschließend des *Ergebnisses* der Untersuchung zu 1 Kor 15. Paulus zeichnet in diesem Kapitel die Hoffnung der Christen in einen neuen Rahmen ein. Er verläßt damit die Grundposition der bisher geltenden Konzeption. Das Wesensmerkmal der adamitischen Menschheit als Leben unter dem Tod und der Vergänglichkeit wird durch Christus, den zweiten Adam, überwunden, so lautet der neue Ansatz. Zu diesem Zweck wird Christi Auferstehung in der urchristlichen Theologiegeschichte erstmalig in den apokalyptischen Horizont allgemeiner Totenauferweckung eingezeichnet. Mit der Kennzeichnung als »Erstling der Entschlafenen« markiert Paulus zugleich gegenüber den korinthischen Enthusiasten die zeitliche Distanz zur Auferstehung der Christen. Die Auferstehung ist im Unterschied zu Korinth noch nicht in diesem Leben zu haben. Zwischen dem jetzigen Leben in der Todeswirklichkeit und dem erhofften Leben bei Gott besteht harte Diskontinuität und irreversible Abfolge. Der die Toten auferweckende Gott wird durch Neuschöpfung in der Form von Auferstehung und Verwandlung ewiges Leben gewähren.

9. Christus als Verwandler der Christen in Phil 3,20f

9.1. PHIL 3,20F ALS SELBSTÄNDIGE EINHEIT

Wie immer man die Integrität oder literarische Komplexität des Philipperbriefs beurteilen mag, alle Diskussionsvorschläge gehen davon aus, daß 3,2-21 (bzw. bis 4,1; 4,3; 4,9) nicht in mehrere Brieffragmente aufzuteilen ist.[1] Im Rahmen dieses Stückes steht als thematischer Schluß die zu behandelnde Stelle 3,20f. Man ist sich heute darüber einig, daß sie in jedem Fall traditionelles Material enthält. Bei weitem angemessener erscheint mir jedoch die Annahme, Paulus verarbeite hier ein *Lied der Gemeinde*.[2]

Phil 3,2-21 kann zunächst in *zwei Abschnitte* gegliedert werden: in 3,2-16 und 3,17-21. Der *erste Abschnitt* wird — strukturanalog zum zweiten — imperativisch eingeleitet. Dreifach fordert Paulus auf (V. 2), die negativ abwertend gekennzeichneten eingedrungenen Fremdmissionare genau zu diagnostizieren. Offenbar sind es judaistische Wanderprediger, wie die auf sie gemünzten plakativen Schimpfworte nahelegen. Dazu paßt auch die folgende Argumentation, in der Paulus zunächst den Heilsstand der Gemeinde (V. 3) festhält, um sodann an sich selbst aufzuweisen, wie christliche Existenz sich geradezu antitypisch zu den Fremdlingen verwirklichen soll (V. 4-14). Die Aufforderung (V. 15f), daß die, die vollkommen sein wollen, wie er denken mögen, schließt den Abschnitt ab.

Der *zweite Abschnitt* greift in Vers 17 eingangs Vers 15 auf: »Werdet meine Nachahmer, Brüder . . .«, um sofort nach dieser Mahnung mit den Versen 18f in der Form einer prophetischen Gerichtspredigt Anklage und Gerichtsankündigung gegenüber weiteren Gegnern vorzubringen.[3] Paulus hat im Unterschied zur Aktualität der Polemik in 3,2ff vor solchen Christen die Gemeinde schon oftmals gewarnt. Dieses iterative Moment ist eine deutliche Differenz

---

[1] Zu den einzelnen literarkritischen Thesen vgl. die Übersicht bei *Kümmel*, Einleitung 291ff, auch *Siber*, Christus 99f.

[2] Zur Diskussion vgl. *J. Becker*, Erwägungen 16ff (Lit!); *Siber*, Christus 122ff; *Müller*, Prophetie 194f; *Osten-Sacken*, Römer 8,73ff.

[3] Vgl. dazu *Müller*, Prophetie 190ff.

zum ersten Abschnitt. Offenbar wendet der Apostel sich nun gegen eine innergemeindliche Gruppe, die seit langem in Philippi existiert, ihm immer wieder Probleme bereitet und gerade jetzt angesichts der eingedrungenen Gegner eine Gefahr für sie bedeutet, weil sie wahrscheinlich für die Botschaft der Fremdmissionare besonders anfällig ist. So erklärt sich, daß die auf sie gemünzte Gerichtspredigt unmittelbar nach der Abrechnung mit den Wanderpredigern erfolgt. An die Gerichtspredigt angeschlossen ist die Aussage, die gerade speziell zur Untersuchung ansteht. Sie ist formal eingeführt wie die Beschreibung des Heilsstandes der Gemeinde in Vers 3. Allerdings stellt ihre Zuordnung zum Kontext und zur paulinischen Theologie überhaupt vor einige Probleme.

Zunächst ist die Gerichtspredigt 3,18f in sich geschlossen, der Fortgang in 3,20f *gattungsgeschichtlich* nicht notwendig. Dabei ist die Gerichtspredigt ihrem syntaktischen Gefüge nach kataraktartig und unregelmäßig.[4] Demgegenüber herrscht in 3,20f ein ganz anderer Ton: Regelmäßige Sätze, die im ausgewogenen Verhältnis zueinander stehen, bilden ein geschlossenes Ganzes aus drei Zweizeilern.[5] Die Polemik ist total verschwunden. Unabhängig von der Situation wird im Wir-Stil, der die Einheit der Gemeinde — sie war gerade zuvor Problem — dokumentiert, Heilsstand und Hoffnung der Christen besungen. Zweimal zuvor (V. 10.14) hatte Paulus schon Hoffnung artikuliert und in beiden Fällen im Unterschied zu 3,20f die Kontextgebundenheit seiner Aussage sichtbar gemacht.

Weiter können *inhaltliche Beobachtungen* die Selbständigkeit von 3,20f erhärten. Wenn die angegriffenen innergemeindlichen Gegner in Vers 19 auf der Ebene der Ethik entlarvt werden (Ihr Gott ist der Bauch. Ihre Ehre besteht in ihrer Schande. Ihr Sinn trachtet nach irdischen Dingen), dann sollte man annehmen, daß der mit 3,20f gewollte Kontrast zu ihnen auf derselben Ebene aufgebaut wird. Aber gerade das ist nicht der Fall. Die Antithetik: Sie trachten nach »irdischen Dingen«, »unsere Heimat« hingegen befindet sich »im Himmel«, ist nur formal erkennbar, jedoch schon insofern sprachlich nicht glatt, als eigentlich — ähnlich wie Joh 3,12 — dann

---

[4] Eine genaue Beschreibung findet sich bei *Müller*, Prophetie 190f, der auf *Lohmeyer*, z. St., fußt.

[5] Diese Erkenntnis geht auf *Lohmeyer*, z. St., zurück.

von »himmlischen Dingen« gesprochen werden müßte, die als Ziel des Trachtens jetzt zugänglich sind. Vor allem aber ist die Feststellung der himmlischen Heimat als Heilsindikativ formuliert und rein lokal zu verstehen. Aus ihr wird sodann nicht ein anderes Verhalten analog 3,3.8-10.13f abgeleitet, sondern von einer Hoffnung gesprochen, nämlich der Rettung aus der generell menschheitlichen Vergänglichkeit aufgrund von noch ausstehender endzeitlicher Verwandlung. Darüber war vorher überhaupt kein Wort verloren worden, ging es doch zuvor um die fremde Gerechtigkeit Gottes, um die in der jetzigen Gemeinschaft der Leiden erfahrbare Kraft der Auferstehung Christi, um die jetzige Gleichgestaltung mit dem Tode Christi, um so zur Auferstehung der Toten zu gelangen als dem Kampfpreis der himmlischen Berufung (3,9.10f.14).

Man kann die *Differenz* präzisierend auch so beschreiben: Die Aussagen in 3,2-15 enthalten die typisch paulinische Dialektik von Heilsindikativ und Hoffnung auf endgültige Errettung, wie sie das jetzige Leben des Christen bestimmt, und orientieren sich dabei an der paulinischen Rechtfertigungsbotschaft und der Auferstehungshoffnung. In 3,20f fehlt nicht nur jede Verarbeitung der Rechtfertigung, sondern der Heilsindikativ (»Unsere Heimat ist im Himmel«) ist auch jenseits der irdischen Existenz des Christen angesiedelt. Irdisch gilt die allgemeine Bestimmung der Existenz im »Leib der Niedrigkeit«. Er ist Menschheitsschicksal überhaupt, nicht nur speziell Möglichkeit christlicher Gleichgestaltung mit Christi Tod (V. 10). Er ist auch nicht Ort der jetzigen Erfahrung der Auferstehung, sondern steht ausschließlich im Wartestand auf Verwandlung in einen »Leib der Herrlichkeit« am Ende der Zeit. Daraus resultiert eine weitere Unterscheidung: In 3,2-14 dominiert die geschichtlich existentielle Linie jetzt — dann, wobei beide präsentisch-eschatologisch verschränkt sind. Untergeordnet begegnet einmal partiell der Aspekt oben — unten (V. 14). In 3,20f ist der fundamentale Unterschied mit der oberen himmlischen und der unteren irdischen Welt gegeben. Von dieser Grundbefindlichkeit wird ausgegangen. Ebenso ist die konsequente Trennung und Unvermischbarkeit beider Bereiche selbstverständlich. Die Aufhebung dieser räumlichen Doppelbereichsvorstellung durch Verwandlung der Christen als Hineinnahme in den himmlischen Bereich wird für

die Zukunft erwartet. Auch christologisch kann die Differenz aus-
formuliert werden: Während 3,2-15 typisch paulinisch von Kreuz
und Auferstehung Christi ausgehen (V. 10f), ist die Christologie
in 3,20f ausschließlich am Erhöhten orientiert. Dies ist um so auffälliger, als Paulus gerade zuvor die Gegner als »Feinde des Kreuzes
Christi« titulierte (V. 18), also sie im Gegensatz zu seiner theologia
crucis sah, die er dann 3,20f selbst verläßt.

Nun enthält der Text 3,20f weiter in auffälliger Häufung sprachliche Eigentümlichkeiten, die schwerlich einfach auf das paulinische
Konto verbucht werden können.[6] Endlich ist der Text in sich geschlossen und hat von der Gattung her in dem Lied 2 Tim 2,11-13
eine gute Formparallele,[7] so daß der Schluß gezogen werden kann:
In Phil 3,20f benutzt Paulus ein *vorgegebenes »Vertrauenslied«*.
Es lautet so:

> Unsere Heimat ist in den Himmeln,
>   von dort erwarten wir auch den Retter, den Herrn Jesus Christus,[8]
> der den Leib unserer Niedrigkeit verwandeln wird,
>   daß er dem Leib seiner Herrlichkit gleichgestaltet wird,
> gemäß der Kraft, nach der ihm das Vermögen eignet,
>   sich auch das All zu unterwerfen.

Über das *Alter* dieses Textes lassen sich folgende Erwägungen an-
stellen: Der Philipperbrief gehört zeitlich nach 1 Kor 15. Dabei
streiten sich zwei Hypothesen um den Vorrang. Entweder gehört
er an das Ende der ephesinischen Jahre des Paulus (55/56 n. Chr.)
oder in die Zeit seiner Gefangenschaft in Caesarea (ca. 57/58
n. Chr.).[9] Damit ist der terminus ad quem gegeben. Zum terminus
a quo ist zu sagen, daß das Lied sicher nicht schon in unmittelbarer
Nähe zu 1 Thess 4,13ff entstanden ist. Inhaltliche Gesichtspunkte
legen es sogar nahe, die in 1 Kor 15 geführte Diskussion wohl doch
vorauszusetzen, da namentlich die Verwandlungsproblematik hier
aktuell durchdacht wurde, während sie in Phil 3,20f als solche kei-

---

[6] Vgl. dazu *J. Becker,* Erwägungen 16ff.
[7] Vgl. meinen Aufsatz in der voranstehenden Anm.
[8] Es kann erwogen werden, ob nicht mit der Kennzeichnung Jesu als
»Retter« die Zeile christologisch vollständig ist und also die Titelkonta-
mination »Herr Jesus Christus« ursprünglich nicht zum Lied gehörte.
[9] Vgl. die Übersicht bei *Kümmel,* Einleitung § 20.

nen Neuheitswert zu besitzen scheint. Auch kommt 1 Kor 15 allenfalls in die Nähe der Aussage, daß Christus selbst zum Auferstehungs- beziehungsweise Verwandlungshandeln befähigt ist. Möglicherweise haben die Korinther aufgrund der Adam-Christus-Typologie in Christus selbst schon den Lebensspender gesehen (15,21f).[10] Jedoch hat Paulus in 1 Kor 15 — von einer erklärbaren Ausnahme abgesehen — getreu seinem Gottesbild (vgl. Röm 4,17) Gott als den Auferweckenden herausgestellt, und in 1 Kor 15,50ff ist bei der Verhandlung der Verwandlungsproblematik Christus ganz ausgeblendet. Anders verhält es sich in Phil 3,20f: Hier ist Gott vollständig aus dem Gesichtskreis verschwunden und allein Christus der Handelnde.[11] Nun sind solche im Rahmen traditionsgeschichtlicher Beobachtung gemachte Feststellungen nicht einfach glatt in absolute Chronologie umzusetzen. Allerdings wird man wohl nicht ganz fehlgehen, wenn man für Phil 3,20f eine Entstehung zwischen 1 Kor 15 und der Abfassung des Philipperbriefs ins Auge faßt.

9.2. Die zukünftige Verwandlung durch Christus

Um die Theologie des Liedes zu bestimmen, sei mit einem Blick auf ein *grundlegendes weltbildhaftes Element* begonnen: Phil 3,20f teilt mit Aussagen in 1 Kor 15 die Einteilung des Kosmos in eine untere vergängliche und in eine obere unvergängliche Welt. Denn wie in Phil 2,7 die dortige »Knechtsgestalt« als Daseinsstruktur irdischer Existenz überhaupt gilt, so ist der »Leib der Niedrigkeit« in Phil 3,20f allgemeine Signatur menschlichen Daseins und mit dem Sein »in Schwachheit« (1 Kor 15,43) und »von der Erde« (15,47f), mit der »Vergänglichkeit« und der »Sterblichkeit« (15,50ff) gleichzusetzen. Dem steht die himmlische Welt gegenüber, die Phil 3,20f mit »Herrlichkeit« charakterisiert wird (ebenso 1 Kor 15,43) und sich nach 1 Kor 15 durch »Unsterblichkeit« beziehungs-

---

[10] Diese Gegenüberstellung der beiden Gestalten hat aber nichts mit Phil 3,20f zu tun.

[11] Diese Beobachtung ist übrigens nochmals ein Argument gegen paulinische Urheberschaft von Phil 3,20f.

weise »Unvergänglichkeit« auszeichnet. Wie schon bei 1 Kor 15,35ff erörtert, verteilt sich dieser Dualismus auch dort auf oben und unten. Endlich wird man von 1 Kor 15,35ff her für Phil 3,20f festhalten, daß trotz eschatologischer Hoffnung primär der Kosmos durch geschichtslose Wesensbestimmungen beschrieben wird. Da diese Wesensbestimmung von sich ausschließenden Gegensätzen lebt, kann per definitionem einem dialektisch-eschatologischen Ineinander gar nicht oder nur allenfalls unvollkommen das Wort geredet werden.

Nun hatten die paulinischen Gegner in 1 Kor 15 die Soteriologie so gestaltet, daß sie die Geistbegabung in der Taufe als Anwesenheit von Auferstehungsleben im sterblichen Menschen auslegten. So war postmortale Existenz als Fortbestand der Identität von Selbst und Geistsubstanz definiert. Das Sterbliche hingegen konnte dem Tode verfallen. Die Einheit von Ich und Geist war wahrscheinlich als pneumatischer Verwandlungsprozeß, das heißt als Auferstehung verstanden. Hier verfährt Phil 3,20f nun anders. Der Christenstand — oder vielleicht doch wohl konkreter die Taufe — vermittelt Zugehörigkeit zur himmlischen Welt. Aber diese Zugehörigkeit ist nicht mit der Gabe des Geistes interpretiert, sondern mit einem im Neuen Testament singulären Begriff, der aus dem staatsrechtlichen Bereich in den religiösen übertragen wurde: Das »Gemeinwesen«, die »Heimat« mit vollen bürgerrechtlichen Konsequenzen ist für Christen *im Himmel.*[12] Das aber bedeutet zwangsläufig: Hier auf Erden sind die Christen »Fremdlinge« und »Beisassen« (1 Petr 2,11). Zwar leben alle Menschen einschließlich der Christen hier im »Leib der Niedrigkeit«, aber den Christen ist dieses Leben nicht mehr Heimat, besitzen sie doch ein neues Recht. Denn sie erwartet eine eschatologische Verwandlung in einen »Leib der Herrlichkeit« als Folge ihres neuen Bürgerrechts und als angemessene Existenzweise ihrer Zugehörigkeit zur oberen Welt. Im Unterschied zu den Geistenthusiasten in Korinth mit ihrem Vollendungs- und Vollkommenheitsbewußtsein beschränkt also Phil 3,20f das Christentum in dieser Welt unter indikativischem Aspekt auf das verbürgte Recht auf Verwandlung, das jetzt noch nicht, vielmehr erst im

---

[12] Zu den religionsgeschichtlichen Materialien vgl. *Gnilka,* Phil 206.

Eschaton eingelöst wird. Dieser eschatologische Vorbehalt entspricht strukturell der paulinischen Konzeption. Darum kann Paulus ohne erkennbare oder notwendige Polemik das Lied zitieren.

Zugleich erinnert diese Soteriologie in ihrer *strukturellen Ausrichtung* (nicht in der Beschreibung der Erlösung!) an das alte Predigtschema aus 1 Thess 1,9f. Bestand das Christsein in ihm aus der Erwartung der Parusie des Sohnes, so jetzt aus der Erwartung des kommenden Retters. Der an den Anfang von Phil 3,20f gestellte Heilsindikativ steht sachlich analog auch indirekt in dem Predigtschema, insofern auch dort wie selbstverständlich die Rettung aller Christen, und zwar nur die Rettung dieser, erwartet wird. In beiden Texten kommt Christus auch wohl kaum unabsichtlich aus dem Himmel.[13] Die Herkunft dieses Requisits aus der Menschensohntradition ist jedoch Phil 3,20f nahezu unkenntlich geworden, da sich die weltbildhaften Voraussetzungen erheblich verschoben haben. Die Übereinstimmung beider Texte geht aber noch weiter: War der kommende Sohn in 1 Thess 1,10 verbal in seiner Retterfunktion beschrieben, so wird diese Aufgabe in Phil 3,20f durch das tituläre Prädikat »Retter« wahrgenommen. Diese wichtige Beobachtung ist darum um so aufschlußreicher, als es bisher nicht gelungen ist, den spezifisch eschatologischen Gebrauch von »Retter« in dem Lied aus den hellenistischen Heilandskulten oder speziell aus dem Kaiserkult abzuleiten. Das Lied polemisiert weder indirekt gegen solche Vorstellungen, noch hat es mit ihnen außer dem formalen Titel etwas gemeinsam. Um so auffälliger ist darum die sachliche Brücke zwischen 1 Thess 1,9f und dem Lied.[14] Das heißt: Das eschatologisch-christologische Thema, das in dem alten Schema der Heidenmissionspredigt schon gegenüber der alten Menschensohnerwartung hellenistisch-judenchristlich bearbeitet war, ist Phil 3,20f noch erheblich weiter umgestaltet worden, nun im Sinne des Heidenchristentums. Durch diese Hellenisierung kommt zugleich erstmals — typischerweise im eschatologischen Zusammenhang — das Prädikat eines »Retters« in die christliche Traditionsbildung.

Man kann aufgrund dieser Ausführungen nun auch vergleichen:

---

[13] Vgl. dazu *Gnilka*, Phil 207 Anm. 123.
[14] Vgl. dazu *Lohmeyer*, Phil 159, und *Gnilka*, Phil 207.

Wie Paulus 1 Thess 4,13ff unter analogen Bedingungen in 1 Kor 15,50ff neu konzipiert, so hat die hellenistische Gemeinde das ihr bekannte Predigtschema aus 1 Thess 1,9f in Phil 3,20f umgearbeitet. Zu 1 Kor 15 war schon festgestellt worden, daß das Motiv des Zornes Gottes bei dieser Umgestaltung verschwunden war. So nun auch hier, wenn man vergleichend auf 1 Thess 1,9f schaut: Statt vom Zorn Gottes rettet Christus nun von der Vergänglichkeit durch Verwandlung — ganz ähnlich wie in 1 Kor 15,50ff. Vielleicht ist auch noch der Notierung wert, daß im Lied und im Predigtschema die *Erhöhung Christi* Grundlage der Christologie ist und dabei zugleich sein Tod ganz ausgeklammert bleibt. Dies kann keine zufällige Übereinstimmung sein, selbst wenn man die Erhöhungsvorstellung für alle urchristlichen Hymnen als Grundlage in Rechnung stellt. Über diese traditionsgeschichtliche Feststellung hinaus muß im Blick auf den Sachgehalt der Soteriologie in Phil 3,20f festgestellt werden, daß ein Christus, der nur noch eschatologische Relevanz in bezug auf die Gleichgestaltung mit seinem Herrlichkeitsleib hat, natürlich im Blick auf sein Todesschicksal gar nicht interessant ist, ist doch dieses gerade das bei ihm überwundene und bei den Christen zu überwindende. Damit erweist sich diese Christologie in der Struktur als antitypisch zur paulinischen Kreuzestheologie. Möglicherweise ist es endlich auch kein reiner Zufall, daß in 1 Thess 1,9f gerade der vom Tode auferweckte Christus als Retter erwartet wird. Diese Aussage konnte hellenistisch leicht uminterpretiert werden, daß nun damit dieser Retter Herr über die Vergänglichkeit ist.

Der erwartete Heilsvorgang wird Phil 3,20f beschrieben als *Verwandlung des Leibes* der Niedrigkeit in den Leib der Herrlichkeit. Ein solcher eignet schon Christus, ihm wird man gleichgestaltet. Zunächst fällt dabei auf, was schon zu 1 Kor 15 als Beobachtung angesprochen wurde: Der Ansatz der Soteriologie ist insofern individualistisch, als nicht die Gemeinde in ihrer Gesamtheit als erlöste erscheint, sondern die Verwandlung des einzelnen geschildert wird. Ebenso bedarf es keiner erneuten Ausführung dazu, daß Gleichgestaltung und Verwandlung zusammen aus dem Vorstellungsbereich hellenistischer Mysterienfrömmigkeit entlehnt sind und hier in Phil 3,20f nur eschatologisch umgearbeitet wurden. Auch dies ist kein Sonderfall. Vielmehr gehört diese Christologie in den Bereich der allgemeinen *Eikon-Christologie,* wie sie Röm 8,29; 1 Kor 15,49; 2 Kor 3,18 als hellenistisches Erbe bei Paulus noch erkennbar ist. Die korinthischen Enthusiasten hatten mit der soteriologischen Konzeption im Zusammenhang der Adam-Christus-Typologie Ähnliches ausgesagt: Jeweils geht es um die substantielle Repräsentanz des Heils im Erlöser, dem die zu Erlösenden angeglichen werden sollen durch Verwandlung in dieses »Bild« des Erlösers.

Ist dies gesehen, dann wird auch deutlich, wie zwangsläufig auf dem Wege solcher Theologie die Aussage entsteht, daß *Christus selbst der Verwandler* ist: Als urbildliche Repräsentanz des Heils schafft er selbst die Partizipation am Heil durch Verwandlung. Ein solcher Christus, dessen Analogie zu den lebensspendenden Gottheiten der hellenistischen Mysterienreligionen auf der Hand liegt, verdrängt das exklusiv verstandene Gottesbild, wie es unter anderem Röm 4,17 zum Ausdruck gebracht ist: Gott allein ist derjenige, der Tote auferwecken kann. Schon die Adam-Christus-Typologie hatte diesen Weg beschritten, aber wohl aufs Ganze zurückhaltender. In jedem Fall läßt Paulus mit einer am Rande stehenden Ausnahme in 1 Kor 15 immer Gott als den Auferweckenden stehen. Hier nun in Phil 3,20f ist programmatisch und aufgrund des Ansatzes zielgerichtet und konsequent erstmals in der theologiegeschichtlichen Entwicklung des Urchristentums Christus Spender von Unsterblichkeit.

Ein immer wieder verhandeltes Problem in Phil 3,20f ist die Frage, welcher *Personenkreis* in den Verwandlungsbereich einzubeziehen ist. Nahe liegt es zunächst, nur an die lebenden Christen zu denken. Das hätte zur Folge, daß das Verzögerungsproblem in bezug auf die Naherwartung der Parusie noch nicht ins Blickfeld getreten ist. Dann aber müßte man Phil 3,20f vor 1 Thess 4,13ff ansetzen und in jedem Fall vor dem Aufkommen der korinthischen Problematik. Das aber geht in keinem Falle an. Auch der Text selbst fordert solche Konsequenzen mit keinem Wort. Da er vielmehr überhaupt und grundsätzlich durch die Verwandlung der Christen die Vergänglichkeit für überwunden erklärt, ist es viel näherliegend, ihm zu unterstellen, er würde zwischen toten Christen und lebenden gar nicht differenzieren.[15] Analog zu 1 Kor 15,52 wird man also mit einer Verwandlung der Gestorbenen bei der Auferstehung und der Lebenden unmittelbar bei der Parusie rechnen müssen. Man erinnere sich, daß schon für Paulus diese Unterscheidung der zu Verwandelnden kein Hindernis war, den Verwandlungsvorgang als eine sachliche Einheit zu verstehen.

Die Fähigkeit, als Verwandler tätig zu werden, ist begründet mit »der *Kraft,* nach der ihm (d. h. Christus) das Vermögen eignet, sich auch *das All zu unterwerfen*«. Unter traditionsgeschichtlichem Aspekt ist dazu daran zu erinnern, daß der Anklang an Ps 8,7 typisch ist. Dafür kann auf die Ausführungen zu 1 Kor 15,27f verwiesen werden. Daß ferner die Unterwerfung der Mächte ein feststehender Topos bei der Erhöhungsvorstellung der Christushymnik des Urchristentums ist, darf ebenfalls vorausgesetzt werden. Doch hat sich in der Ausgestaltung dieser Motivik in Phil 3,20f Wesentliches verändert. Einmal sind nicht mehr die Mächte als Unterworfene genannt, sondern das All, also geht es um Christi Mächtigkeit gegenüber der Wesenssignatur dieser Welt als einer vergänglichen. Zum anderen ist jenseits einer Zeitangabe von der Unterwerfung gesprochen: Weder wird die Erhöhung als Akt der gleichzeitigen Unterwerfung gefeiert (vgl. Phil 2,10f), noch ist die Parusie als Zeitpunkt erhoffter Unterwerfung geschildert. Dem Lied liegt vielmehr überhaupt nichts an einer Zeitbestimmung. Es hebt typischerweise allein auf die Kraft ab, die Christus eignet. Diese seine Wesensbestimmung ist Begründung dafür, daß ihm die Verwandlung zugetraut werden kann. Also: Nicht die Herrschaft des Pantokrators ist Gegenstand der Beschreibung, sondern sein Herrentum Indikator seiner Weltüberlegenheit. Darum besitzt er die Mächtigkeit, das Wesen der Welt, also ihre Vergänglichkeit, umzuwandeln. Dabei ist nicht gesagt, daß Christus auf diese Weise das ganze All erlöst. Die Unterordnung des Motivs der Allbeherrschung unter den Wesenszug der prinzipiellen weltüberlegenen Macht, die ihrerseits nur notiert wird, um von Christus die Verwandlung der Leiber der Christen aussagen zu können, macht hinreichend klar: Die

---

[15] Vgl. dazu *Gnilka,* Phil 208.

Ebene individueller Erlösung ist nicht verlassen.[16] So verwundert es nicht, daß im Unterschied zu 1 Kor 15,20ff der kosmische Aspekt ohne selbständige Relevanz ist und schon gar nicht — auch wegen der christologischen Konzeption des Liedes — eine Aussage steht wie in 1 Kor 15,28: Am Ende werde Gott alles in allem sein. Diese Ausklammerung der Welt stand — wie aufgewiesen — nicht allein im Predigtschema in 1 Thess 1,9f im Programm. Auch die paulinischen Ausführungen in 1 Kor 15 zum Beispiel stellten den Gemeindehorizont immer wieder gegen ansatzweise weltweite Aussagen in den Vordergrund. Phil 3,20f ist also im individuellen Ansatz nur in sich konsequenter als Paulus und bleibt mit der Ausblendung eines Interesses an kosmischer Erlösung strukturell im traditionellen Rahmen eschatologischer Hoffnung der ersten urchristlichen Generation.[17]

Abschließend kann festgehalten werden: Das Gemeindelied, das seinen theologiegeschichtlichen Ort in der nachkorinthischen Situation hat, zeichnet eine Hoffnung, nach der der Erhöhte erstmals programmatisch im Urchristentum selbst der Verwandler des Leibes der Niedrigkeit in den Leib der Herrlichkeit ist. Diese Verwandlung ist der Zukunft vorbehalten. In der Jetztzeit lebt der Christ aufgrund des himmlischen Bürgerrechtes in der Hoffnung auf diese Macht des Erhöhten.

---

[16] Gegen *Lohmeyer*, Phil 162, u. a., die den individuellen Horizont im kosmischen eingebettet sehen.
[17] Die bedingte Ausnahme Röm 8,18ff sei zumindest notiert.

10. Auferstehung und Leben im Johannesevangelium

10.1. Die Traditionen vom Erhöhten als Lebensspender

Auf den ersten Blick mag es befremdlich erscheinen, von den erörterten Aussagen aus der ersten Generation unmittelbar in den *johanneischen Traditionsbereich* zu springen. Aber bekanntlich ist die urchristliche Geschichte unmittelbar nach der Zeit der Spätschriften des Paulus angesichts der Quellenlage überhaupt weitgehend terra incognita. Was aus ihrer Theologiegeschichte zum Thema der Auferstehung der Toten erkennbar ist, kann nicht beanspruchen, grundlegende Weichenstellungen zu enthalten analog den Konzeptionen, die als repräsentativ für die erste Generation herausgestellt wurden. Nun gibt es freilich neben der johanneischen Tradition in der dritten Generation weitere Modelle, die im Prinzip herangezogen werden könnten. Allerdings muß darauf aufmerksam gemacht werden, daß wir nicht die Zukunftserwartungen überhaupt besprechen, sondern nur das viel speziellere Problemfeld der Auferstehung der Toten. Unter diesem Gesichtspunkt gibt es zwar immer noch für die dritte Generation erörterungswürdige Vertreter, aber ihr Zahl schrumpft zusammen, wenn man danach auswählt, wo trotz erkennbarer Kontinuität zum frühesten Christentum eine wirklich neue und eigenständige Konzeption anzutreffen ist. Das ist im herausragenden Maße nur beim vierten Evangelium der Fall.

Zum johanneischen Traditionsbereich ist darüber hinaus festzustellen, daß, so sicher das Johannesevangelium literarisch ein Produkt der dritten Generation ist, so deutlich ihm doch theologiegeschichtliche Stadien eingraviert sind, die es erlauben, die Anfänge der johanneischen Tradition bis zurück in die erste Generation zu rekonstruieren. Dies gilt gerade auch für die johanneische Eschatologie, so daß die Darstellung traditionsgeschichtlich Kontinuität und Diskontinuität verfolgen kann, ohne sich den Vorwurf gefallen lassen zu müssen, sie springe großzügig von der paulinischen Problematik in die viel spätere johanneische. Gerade auf diese traditionsgeschichtliche Vermitteltheit soll im folgenden ein besonderes Augenmerk fallen.

Eingesetzt sei mit der speziellen These, daß im vierten Evangelium noch Traditionselemente erkennbar sind, die im aufweisbaren *strukturellen und sachlichen Zusammenhang zur alten Zukunftserwartung* stehen, wie sie 1 Thess 1,9f angetroffen wurde. Dabei kann man den Weg von einer relativen Nähe zu dieser Hoffnung hin zu einer erheblich modifizierten Form noch an ausgewählten Traditionsstücken aufzeigen. Dieser Nachweis soll die erste Aufgabenstellung sein, die bei der Erörterung des komplexen Problems, vor das das Johannesevangelium stellt, angegangen wird.

Zu den ältesten Stücken im Johannesevangelium gehört der *apokalyptische Offenbarungsspruch,* der in *Joh 14,2f* erhalten ist. Seine inhaltliche und formale Geschlossenheit, seine sprachlichen Auffälligkeiten und vor allem seine futurische Eschatologie mit der Erwartung der baldigen Wiederkunft des Herrn, die der Evangelist sich mit Hilfe einer polemischen Neuinterpretation für seine Abschiedsrede dienstbar macht, lassen auf Tradition schließen.[1] Der rekonstruierte Text lautet:

1a In meines Vaters Hause sind viele Wohnungen.
 b (Und) ich will hingehen, um die Stätte für euch herzurichten.
2a Wenn ich hingegangen bin und euch die Stätte bereitet habe,
 b werde ich wiederkommen und euch zu mir nehmen,
 c damit wo ich bin, auch ihr seid.

Der Gesandte des Vaters expliziert hier vor seiner Erhöhung in den Himmel den Heilssinn seines Fortgangs der zurückbleibenden Gemeinde. Sie, die ihren Herrn fingiert so reden läßt, vergewissert sich also auf diese Weise ihrer Heilszukunft. Diese hängt an dem Sohn, der zu seinem Vater zurückkehrt. Das Exklusivverhältnis Vater — Sohn ist entfaltet auf dem Hintergrund einer Erhöhungschristologie, nach der die Heilsaussage ausschließlich an den Hingang des Sohnes zum Vater gebunden ist. Die Erhöhung befähigt den Sohn, der Gemeinde den eschatologischen Heilsort herzurichten. Ist dies geschehen, wird der Sohn wiederum (vgl. Hebr 9,28) auf die Erde kommen, also seine Parusie inszenieren, um die Gemeinde zu sich in den Himmel zu nehmen, damit das immerwährende Zusammensein zwischen ihm und der Gemeinde statthat.

---

[1] Vgl. *J. Becker*, Abschiedsreden 221f.

Diese Paraphrase macht deutlich, daß *wesentliche Elemente der frühen urchristlichen Parusieerwartung* verarbeitet sind: Die Verheißung im Offenbarungsstil kennt kein Heilspräsens für die irdische Gemeinde. Sie lebt im strengen Sinne auf die Zukunft hin, also im Wartestand der noch ausstehenden Erlösung. Im Rahmen dieser Hoffnung wird das Todesproblem noch nicht verarbeitet, denn alles ist streng auf die nahe Parusie Christi ausgerichtet. Daß diese gemeint ist, sollte schon wegen der dem Spruch durchweg eigenen konstitutiven räumlichen Vorstellung, repräsentiert durch den Fortgang Jesu und die himmlischen Wohnungen, nicht geleugnet werden, ist doch mit nichts angedeutet, daß die dem Fortgang entsprechende Rückkehr anders verstanden werden darf als in gleicher Weise räumlich. Daß der Evangelist hier uminterpretiert, steht auf einem anderen Blatt. Also: Der Sohn wird erneut kommen und die Gemeinde zu sich nehmen. Dabei konzentriert sich wie in 1 Thess 1,9f die Darstellung der Parusie ausschließlich auf den Heilssinn der Zukunft der Gemeinde. Kosmos und Gericht werden nicht erwähnt. Auffällig ist auch gerade für das Johannesevangelium, daß nicht von der Lebensgabe an den einzelnen Glaubenden gesprochen wird, sondern kollektivisch der Gemeinde insgesamt Heil verheißen ist. Das Heilsziel ist unjohanneisch nicht als ewiges Leben angegeben, sondern als nicht mehr zerstörbare Personalrelation zwischen dem Erhöhten und seiner Gemeinde. Auch die indirekt präsente Sohnestitulatur, wie sie aus dem exklusiven »mein Vater« zu erschließen ist, ist traditionsgeschichtlich erklärbar. In dem 14,2f vorliegenden Erhöhungs- und Parusiezusammenhang begegnete sie schon in Texten aus der Frühzeit der ersten Generation, nämlich in Röm 1,3b-4; 1 Thess 1,9f. Auch war sie 1 Kor 15,23ff wieder anzutreffen. Dabei konnte sogar 1 Kor 15,23 die Vaterbezeichnung Gottes konstatiert werden. Im Rahmen dieser Beobachtungen zu Joh 14,2f kann nun auch eine strukturelle Verschiedenheit zu 1 Thess 1,9f markiert werden, nämlich der Tatbestand, daß die Unterscheidung zwischen Himmel und Erde so geschieht, daß nur der Himmel als Heilsort denkbar ist. Eine analoge Verschiebung gegenüber 1 Thess 1,9f war auch schon 1 Kor 15 erkennbar.

Damit ergibt sich als These zur theologiegeschichtlichen Einordnung von Joh 14,2f: Das Spruchgut bietet eine Theologie, die traditionsgeschichtlich in die *erste Generation* paßt, ja die — zum Beispiel im Blick auf die Naherwartung der Parusie — noch Elemente aus der ersten Zeit des Urchristentums korrekturlos erhalten hat. Joh 14,2f repräsentiert also ein frühes Stadium johanneischer Traditionsgeschichte, ein Stadium, in dem der johanneische Gemeindeverband noch nicht in isolierte Selbständigkeit gegenüber der allgemeinen urchristlichen Entwicklung geraten war.[2]

An zwei weiteren wegen ihres guten Demonstrationswertes ausgewählten Traditionen soll nun vorgeführt werden, wie innerhalb des johanneischen Gemeindeverbandes und noch in der Zeit vor dem Evangelisten — von der Basis der in 14,2f repräsentierten Erhöhungsvorstellung ausgehend — die *Heilserwartung sich wandelte*. Beide Texte gehören dabei auf eine Traditionsstufe, die dadurch charakterisiert ist, daß nun das ewige Leben konstitutives Heilsziel wird, die Parusie — wie überhaupt der 14,2f noch wenigstens schwach angedeutete apokalyptische Horizont — entfällt und der Erhöhte schon jetzt für die irdische Gemeinde als Spender des Lebens fungiert. An die Stelle der für 14,2f konstitutiven Grundausrichtung auf das Heilsziel als erwartetes endgültiges himmlisches Zusammensein von Erlöser und Gemeinde ist eine andere Grundhaltung getreten: Nun antworten die Traditionsstücke darauf, wie das einzelne Gemeindeglied jetzt auf Erden ewiges Leben erwerben kann, um so später nicht zu vergehen. Dieses Leben gewährt der Erhöhte. Damit tritt eine auffällige strukturelle Nähe zur theologischen Situation in Korinth zutage.[3]

Eine der im Rahmen des johanneischen Gemeindeverbandes entstandenen Einheiten, die hier zu erörtern sind, stellt die Überlieferung in *3,35f* dar:

1a Der Vater liebt den Sohn,
  b und alles hat er in seine Hand gegeben.
2a Wer an den Sohn glaubt, hat ewiges Leben.
  b Wer sich dem Sohn widersetzt, wird das Leben nicht sehen,
  c sondern der Zorn Gottes bleibt auf ihm.

Diese im beschreibenden Er-Stil gehaltene Verheißung ist abermals

---

[2] Vgl. zur groben Einteilung der johanneischen Theologiegeschichte: *J. Becker*, Beobachtungen 71ff.

[3] Sie ist erkannt von *Käsemann*, Wille 30ff.

formal und inhaltlich gerundet. Die Form stimmt völlig mit 14,2f überein. Auch dort bietet die erste Doppelzeile die für die soteriologische Entfaltung im zweiten Teil notwendige christologische Voraussetzung. Die im Perfekt angegebene Bevollmächtigung (Vollmacht zum Endgericht) erinnert kaum zufällig an Stellen wie Mt 28,18; 1 Kor 15,24-28; Phil 3,21 (vgl. außerdem Dan 7,14 und die Ausführungen in 2.1.; 2.2.; 3.2.) und gehört demnach zur *Erhöhungsvorstellung*,[4] von der auch Joh 14,2f ausging. Mag es vom Kontext (V. 32f) her angebracht sein, die Bevollmächtigung dem Sohn im Status der Präexistenz, also vor seiner Sendung, zukommen zu lassen, so ist dies erst ein späteres Stadium der Uminterpretation im Rahmen des jetzigen literarischen Kontextes.

Für diese Annahme ist speziell der *Evangelist* ein Kronzeuge: Er will zweifelsfrei dem auf die Erde gesandten Sohn schon die volle Ermächtigung zuschreiben, Tote lebendig zu machen und Gericht abzuhalten (3,17ff; 5,24ff). Aber er weiß noch um den Umstand, daß zunächst dies die Vollmacht des Erhöhten war: In 3,13f redet er nämlich kontextwidrig — es spricht ja dort der Irdische — davon, daß der Sohn bereits in den Himmel hinaufgestiegen ist (Perfekt). Er mußte nach ihm dorthin hinaufsteigen, das heißt erhöht werden, damit »jeder, der an ihn glaubt, in ihm ewiges Leben hat«. Damit gibt der Evangelist zu verstehen, daß im Rahmen der Traditionsgeschichte die Lebens- und Gerichtsvollmacht des Irdischen ein späteres Stadium widerspiegelt, hingegen die Bevollmächtigung des erhöhten Sohnes ältere Rechte für sich beanspruchen kann. Eben dieses ältere Stadium christologischer Entwicklung liegt 3,35f vor.

Neben dem Beispiel aus Joh 3,13f kann noch auf ein zweites ähnlich gelagertes verwiesen werden: In *Joh 3,5-8* fordert der Irdische die Geburt aus dem Geist, setzt also voraus, daß solche Geistbegabung grundsätzlich jedem als Möglichkeit offen steht (vgl. 3,12ff). Aber nach 7,39 ist der Geist erst Gabe des Erhöhten. Streng genommen ist dann aber die Möglichkeit des Geistes, auf die in Joh 3 der Irdische verweist, noch eine Irrealität. Auch dieses Beispiel zeigt:

---

[4] So mit *Schulz*, Untersuchungen 126f; gegen *Schnackenburg*, Joh I 400f, der kontextbezogen von V. 34 her auf eine präexistente Bevollmächtigung deutet und überhaupt für V. 35 Tradition ablehnt.

Es fand offenbar Rückprojektion vom Erhöhten auf den Irdischen statt.

In der Theologie des Evangelisten kann nun überhaupt beobachtet werden, wie er — theologisch reflektiert — eine Christologie, die dem Erhöhten die Heilsvermittlung zuschreibt, und eine solche, die dem vom Vater gesandten Irdischen diese Aufgabe zuweist, miteinander zu einer *Gesamtschau* verbindet. Ein wesentliches Indiz ist dafür die Beobachtung, wie er in Joh 3; 12,31ff; 13,31 - 14,31 die Erhöhung Christi gerade angesichts der zugespitzten Aussage über das Endgericht, das schon der Irdische vollzieht (5,24f), benutzt, um aufzuzeigen, wie die Erhöhung die Verifikation des Anspruchs des Irdischen für den Glaubenden bringt und wie dadurch zugleich die Kontinuität des Heilswerkes garantiert wird. Außerdem bringt er gegen eine Christologie, die das Heil nur an den Irdischen bindet (vgl. 10.2.), die Erhöhung als anstößiges und notwendiges Ärgernis zu Gehör (3,12ff; 6,60ff; 12,20ff; 13,31ff). Man kann also präzisieren: Zur Zeit des Evangelisten dominierte offenbar in der Gemeinde der Ansatz beim Irdischen, und die Erhöhung war im Gesamtbewußtsein der Gemeinde zurückgedrängt. Sie ist darum die ältere Konzeption.

Daß man also guttut, in der vorgeschlagenen Weise 3,35f vom Kontext gelöst zu interpretieren, läßt sich noch weiter erhärten. Im Unterschied zum voranstehenden Kontext und in Übereinstimmung mit 14,2f begegnet ebenfalls der Vater-Sohn-Stil, und zwar, genauer, in demselben Zusammenhang der Erhöhung Christi und seiner ihm damit zugewiesenen eschatologischen Funktion. Dieser Stil wird nur in dem traditionellen Begriff »*Zorn Gottes*« — »Zorn des Vaters« ist im Neuen Testament überhaupt nicht belegt — durchbrochen. Er ist im Johannesevangelium ganz singulär[5] und kann seine theologiegeschichtliche Herkunft aus der frühchristlichen Hoffnung kaum verleugnen, nach der der erhöhte Sohn Retter vor dem göttlichen Zorn ist (1 Thess 1,10; vgl. außerdem den weiteren Zusammenhang Mt 3,7; 1 Thess 2,16 usw.). Dabei stimmen 1 Thess 1,10 und Joh 3,35f darin überein, daß der »Zorn Gottes« die vorgegebene Grundsituation ist, unter der die gesamte Menschheit steht.

---

[5] So auch »sich widersetzen« und »das Leben sehen«.

Sie wird ausschließlich durch den Sohn als dem Retter vor diesem Zorn aufgehoben. Charakterisierte in 1 Thess 1,9f und Joh 14,2f das Warten auf den Sohn den jetzigen Zustand der Gemeinde, so ist an diese Stelle in Joh 3,35f das Glauben und das Ablehnen getreten, wie es sachlich ähnlich auch Lk 12,8f heißt.

Die entscheidende theologiegschichtliche Weiterentwicklung gegenüber Joh 14,2f muß man nun darin erblicken, daß in 3,35f das Heilsziel als »ewiges Leben haben« angegeben ist. Zum besseren Verständnis ist jedoch dabei zuerst mit einer einschränkenden Bemerkung zu beginnen. Insofern nämlich der Gegensatz zum ewigen Leben als dauerhafter Zorn ausgewiesen ist, bleibt diese Gegenüberstellung allgemein urchristlich und ist in demselben Maße keineswegs johanneisch. Doch ist dieser Gegensatz eben nur in Joh 3,35f im Rahmen des johanneischen Traditionsbereiches bezeugt, also für ihn atypisch. Eindeutig ist für den gesamten johanneischen Traditionsbereich (vgl. außer den Stellen im Evangelium 1 Joh 3,15; 5,12f) charakteristisch, daß »ewiges Leben« und »haben« (im Präsens) zusammenstehen. Speziell zu Joh 3,35f fällt nun auf, daß parallel dazu die Aussage steht, wer sich dem Sohn widersetzt, wird kein Leben haben (Futur). So könnte man auch eine Formulierung erwarten: »Wer an den Sohn glaubt, wird ewiges Leben haben«. Aber das steht absichtlich nicht da. Vielmehr setzt die Tradition voraus, daß der Erhöhte aufgrund der ihm anläßlich der Erhöhung übertragenen Vollmacht jetzt schon denen, die an ihn glauben, ewiges Leben gewährt. Weil den Ungläubigen die Lebensgabe vorenthalten bleibt, stehen sie weiterhin unter dem Zorn und werden darum das Leben nicht »sehen«.

Die *Verbindung von »Leben« und »sehen«* ist durchaus auffällig. Offenbar ist der Begriff des Sehens, der sonst typisch ist für die Teilnahme am Endheil (vgl. nur Joh 3,3), im Hintergrund zu sehen. Ist Leben Inbegriff des Endheils, so kann diese Verbindung in 3,36 entstehen. Das setzt aber nun voraus, daß Leben hier eine deutlich futurische Dimension hat. Also ergibt sich: Dies zukünftige Leben kann nur sehen, wer jetzt schon zur Partizipation an ihm vermittels des Glaubens an den Erhöhten als Lebensspender gelangt. Damit aber steht man vor einer eklatanten strukturellen Parallelität zur korinthischen Theologie, die von dem Grundsatz ausging: Todesüberwindung gibt es nur für den, der schon jetzt in diesem Leben aufersteht. Das Pendant dieses Grundsatzes war auch dort eine bestimmte Erhöhungschristologie. Auf diese strukturelle Verwandtschaft wird noch ausführlicher einzugehen sein.

Nun kann man eventuell noch im Rahmen dieser Auslegung eine christologische Zuspitzung einführen, wenn man voraussetzt, daß 3,35f schon die Identifizierung des Erhöhten mit dem Leben vollzogen ist (vgl. Joh 11,25; 15,6; 1 Joh 5,11f). Das Leben »sehen« hieße dann, den *Erhöhten sehen* (vgl. 1 Joh 3,2). Damit würde zugleich eine deutliche Parallelität zu Kol 3,3f entstehen, wo Christus als Erhöhter selbst das Leben ist, die Gläubigen an diesem Leben jetzt schon Anteil haben und das noch ausstehende Hoffnungsgut für sie nur noch der Umstand ist, daß dieses Ewigkeitsleben aus der Verborgenheit in Christus heraustritt und am Ende der Tage offenbar wird. Dann müßte man Joh 3,35 so verstehen: An den Sohn glauben, bedeutet darum, jetzt schon ewiges Leben haben, weil der Sohn als Erhöhter selbst das Leben ist und Glaube Partizipation an ihm bedeutet. Wer auf diesem Weg des Glaubens nicht an ihm Anteil hat, bleibt unter dem Zorn Gottes und wird ihn nicht als Leben »sehen«. Nun ist nicht sicher auszuschließen, daß man im Rahmen der johanneischen Traditionsgeschichte auch 3,35f so ausgelegt haben kann. Jedoch gibt der Text selbst dieses Verständnis nicht eindeutig her. Die Identifikation ist nicht ausgesprochen. Ohne sie ist der Text gut verständlich, und ein Vergleich mit dem nun noch zu besprechenden Beispiel aus Joh 5,19-23, zeigt, daß die erste Auslegung bei weitem vorzuziehen ist.

Die theologiegeschichtlichen Beobachtungen zu 3,35f können an einem weiteren Stück nochmals ergänzt werden, nämlich an *5,19-23*. Dazu muß vorab erörtert werden, inwiefern hier mit *geprägter Tradition* zu rechnen ist. Der Evangelist hat die ihm vorgegebene Erzählung von der Heilung des Gichtbrüchigen mit dem zum Teil wohl auch noch traditionellen Streitgespräch über den Sabbatbruch zielbewußt auf Jesu Selbstzeugnis und der Juden Reaktion auf es in Vers 17f ausgerichtet: »›Mein Vater wirkt bis jetzt. Und ich wirke auch.‹ Deshalb nun trachteten die Juden um so mehr, ihn zu töten, weil er nicht nur den Sabbat gebrochen hatte, sondern auch Gott seinen Vater genannt, womit er sich Gott gleichstellte«. Diesen Ausgang des Streites benutzt der Evangelist als Ausgangsbasis, um zwei thematisch verschiedene, jedoch redaktionell bewußt aufeinander bezogene Offenbarungsreden anzuschließen: Die erste liegt 5,19-30 vor. Es ist die Gerichtsrede, die die Gottgleichheit Jesu über das Sabbatthema hinaus steigert (V. 20) zu der viel umfassenderen, vom Sabbat unabhängigen Aussage, daß des Sohnes Kommen in einem noch grundsätzlicheren Sinne von der Gottgleichheit bestimmt ist, nämlich unter dem Totalaspekt des jetzt sich vollziehenden Gerichtes steht. Als zweites folgt die Rede vom Zeugnis Jesu 5,31-47, die die in Vers 18 enthaltene und durch die Verse 29f um so dringlicher gewordene Legitimationsproblematik entfaltet.

In der Gerichtsrede sind drei Schichten erkennbar. Einmal liegt in *5,19b.21-23a Tradition* vor. Diese in sich geschlossene Einheit interpretiert der Evangelist mit Hilfe von 5,19a.20.23b-27 und lenkt sodann über Vers 30 zur zweiten Rede über. Spätere Redaktion liegt in den Versen 28f vor.[6] Diese thetisch gesetzte literarkritische Analyse ist in diesem Zusammenhang nur in bezug auf das Traditionsgut zu begründen, das folgenden Umfang aufweist:

1a Der Sohn vermag nichts von sich aus zu tun,
  b er sehe denn den Vater etwas tun.
2a Denn was jener tut,
  b das tut der Sohn ebenfalls.
3a Denn wie der Vater Tote auferweckt und lebendig macht,
  b so macht auch der Sohn, die er will, lebendig.
4a Denn der Vater richtet auch niemanden,
  b sondern hat das ganze Gericht dem Sohn übergeben,
5a damit alle den Sohn ehren
  b wie sie auch dem Vater Ehre erweisen.

Zur Aussonderung dieser Einheit kann hier in aller Kürze folgendes notiert werden: Es ergibt sich ein gut gegliederter und in sich geschlossener Gedankengang, der in der beschreibenden Form des Er-Stils wie 3,35f (also nicht im Offenbarungsstil der ersten Per-

---

[6] Zur Diskussion von Joh 5 vgl. ausführlicher die Kommentare von *Bultmann* und *Schnackenburg*. Trotz konträrer Auffassungen ist darüber hinaus für die eigenen Textbeobachtungen vor allem *Blank*, Krisis 109ff, stimulierend gewesen. Jüngst hat *Kegel*, Auferstehung 113f, nochmals die Argumente für den sekundären Charakter beider Verse gesammelt.

son Singular!) christologische Heilslehre betreibt. In jeder der fünf Doppelzeilen geht es um das Vater-Sohn-Verhältnis. Die ersten beiden Doppelzeilen beschreiben dabei die allgemeine Abhängigkeitsstruktur im Vater-Sohn-Verhältnis. 3ab und 4ab konkretisieren in bezug auf die spezielle Aussage, auf die hin die Einheit angelegt ist. Am Schluß steht der finale Sinn für die Bevollmächtigung des Sohnes durch den Vater. Mit einem Blick erkennt man ferner, daß die Verben in den Doppelzeilen bei nur formaler Variation je gleich sind. Auch das ist kaum Zufall. Der Evangelist, der eine Offenbarungsrede konzipiert, bringt nun zunächst das Ich des Offenbarers und die Anrede an die Zuhörer ein (V. 19a.20.24ff). Er gliedert durch das »Wahrlich, wahrlich ich sage euch« in den Versen 19.24 die Rede in zwei Abschnitte, deren erster die Tradition und deren zweiter die pointiert kritische »Exegese« dazu liefert. Diese wiederum enthält nochmals das »Wahrlich, wahrlich ich sage euch« (V. 25), das im Rahmen des zweiten Abschnittes die Spitzenaussage Vers 24 zur weiteren Interpretation hinführt. Dem im ersten Abschnitt dem Evangelisten zuzuschreibenden Vers 20 kommt dabei noch die schon angedeutete spezielle Aufgabe zu, die Steigerung vom Sabbatbruch Vers 18 zum »Tote lebendig machen« herzustellen (ähnliche Steigerungen: 1,50; 5,36; 14,12).

Wendet man sich der *theologischen Konzeption* des Traditionsstückes zu, so erkennt man alsbald die in die Augen springende auffällige Parallelität zu 3,35f. Wenn in der Einheit alle Verben im Indikativ Präsens oder (so nur V. 23) im Konjunktiv Präsens stehen, jedoch bei der Vollmachtsübertragung des Vaters an den Sohn, lebendig machen zu können und Gericht üben zu dürfen, abweichend das Verb — und zwar präzise dasselbe wie 3,35f — im Perfekt steht, so muß dieser auffällige Tempusunterschied analog zu 3,35f erklärt werden: Es geht also abermals um die Einsetzung des Erhöhten in die gottgleiche Stellung, deren Funktionen der Sohn jetzt präsentisch ausübt. Basis der Aussage ist also erneut eine Erhöhungschristologie mit präsentischem Akzent.

Die Hoheit des Erhöhten wird als *Funktionsgleichheit mit Gott* dargestellt. Schon mehrfach — zuletzt bei der Analyse von 1 Kor 15 — war herausgestellt worden, daß zum Beispiel Paulus von einem jüdisch vermittelten Gottesbild ausging, nach dem Gottes Gottheit dadurch definiert werden konnte, daß ausschließlich nur Gott Tote lebendig macht. Hieß es zum Beispiel in Röm 4,17, Gott macht Tote lebendig, so heißt es jetzt Joh 5,21: Er erweckt die Toten und macht lebendig. Joh 5,21 verdankt sich also hierin dieser jüdisch-urchristlichen Gottesvorstellung. Der so beschriebene Gott überträgt 5,21f aber nun sein gottheitliches Handeln als Vater dem Erhöhten als Sohn. Wiederum steht man damit nicht weit entfernt von der korinthischen Theologie, wenn in ihr Christus als zweiter Adam und Repräsentant der Himmelswelt auferweckendes Handeln in der Gegenwart ausführte. Hatte Paulus gegen die Korinther gerade mit Hilfe des zum Beispiel Röm 4,17 beschriebenen Gottesbildes gekämpft, so weist nun Joh 5,21f auf, wie man dieses Gottesbild und aus Korinth bekannte Grundsätze durchaus vereinen kann.

Übereinstimmend mit 3,35f redet auch 5,21f *vom Spenden des eschatologischen Lebens* und vom Gericht abhalten. Beide Funktionen übt der Sohn jetzt aus, und zwar macht er lebendig »die er will«. Dies korrespondiert offenbar mit der Bindung der Lebensgabe an den Glauben in 3,35f. Ebenso stimmt in beiden Texten überein, daß das Gericht nicht als aktives Handeln des Sohnes beschrieben ist, sondern sich als negative Folge aus der an die Glaubensbedingung geknüpfte Lebensübereignung von selbst ergibt. Die Funktion der Zuwendung des ewigen Lebens hat also unbedingten Vorrang. Im übrigen fehlt dabei auch hier die Identifikation von Sohn und Leben. Ausdrücklich ist die Befähigung zum Lebendigmachen an die Vollmachtsübertragung von seiten des Vaters gebunden. Da der Sohn seine Fähigkeit, lebendig zu machen, nicht erst am Ende der Tage ausübt, sondern jetzt, ergibt sich wie bei 3,35f: Das Traditionsstück antwortet auf die Frage, wie bekommt der einzelne Glaubende jetzt Anteil am Ewigkeitsleben, damit er bei seinem individuellen Tod nicht vergehen muß? Prinzipiell setzt diese Frage voraus, daß Hoffnung sich hier jenseits eines futurisch-apokalyptischen Enddramas artikuliert. Jedenfalls ist eine Parusie Christi in dieser Position entbehrlich. Das markiert den Abstand zu Joh 14,2f: Holte dort der Sohn seine Gemeinde zu sich als der, der zur Parusie erwartet wird, so ist an diese Stelle nun 5,23a die allgemeine immer geltende Zweckbestimmung der Ehrung von Vater und Sohn getreten. Auch 3,35f benötigt im Prinzip keine Parusie als Vollendung der Heilsveranstaltung. Auf die mögliche Entbehrlichkeit derselben wurde schon bei der korinthischen Theologie eingegangen, wie auch dort gesagt wurde, was ebenfalls für diese johanneische Tradition gilt, man kann die Parusie dennoch integrieren. In Korinth hat man es getan, und in der johanneischen Gemeinde jedenfalls zum Teil auch: Joh 5,28f; 6,54; 12,48.

Nach der Besprechung der Textstellen Joh 14,2f; 3,35f und 5,19f, die jeweils eine Strukturverwandtschaft zur korinthischen Theologie erkennen ließen, muß nun wenigstens kurz auf dieses Verhältnis eingegangen werden. Dabei geht es um die Frage, ob die theologische Position der Korinther, außerdem Stellen wie Kol 2,12f; Eph 2,5f und 2 Tim 2,18 samt den einschlägigen johanneischen Belegen gemeinsam unter dem Stichwort »Enthusiasmus« gefaßt werden können,[7] und noch spezieller, ob eventuell zwischen *Korinth und der frühen johanneischen Tradition* direkte Beziehungen zu erkennen sind. Beide Fragen sind zu verneinen. Denn man muß dem Begriff Enthusiasmus definitorische Schärfe zuerkennen, um ihn sinnvoll gebrauchen zu können, und demzufolge mit ihm nicht einfach nur allgemein die im Hellenismus verbreitete Vorstellung verbinden, man müsse erst Leben erwerben, um so dem Tode zu entgehen, sondern spezieller im Rahmen dieser Vorstellung solche Zuspitzung enthusiastisch nennen, die im ekstatisch sich äußernden Geistbesitz Lebensgewinn erfährt und zugleich die Identität mit dem erhöhten Christus vollzogen sieht, darum den Christen schon mitherrschen und alle weltlichen Gegebenheiten demonstrativ »verachten« lassen kann. Auch das Element der Naherwartung des Endes wird man dabei nicht ganz aus dem Blick verlieren dürfen.

Dies alles ist gut korinthisch, aber sicherlich nicht johanneisch. Die johanneische Tradition kennt wohl die allgemeine These, man muß vor dem Tod Leben erwerben, um im Tode zu bestehen, und weiß dies, vertreten durch den Evangelisten, speziell mit Hilfe der traditionellen futurisch-apokalyptischen Enderwartung so zu interpretieren, daß diese präsentisch und individuell-anthropologisch umgedeutet wird. Aber sie kennt weder das ekstatische Phänomen noch das schon jetzt mögliche Mitherrschen, verbunden mit der demon-

---

[7] So *Käsemann*, Wille 32f.

strativen Weltverachtung (vgl. die Aussagen zur »Angst« in 14,1.27; 15,18ff; 17,14f usw.). Auch ist trotz der Reziprozitätsformeln eine Identifikation zwischen herrschendem Christus und Gemeindeglied nicht ausgesprochen. Beachtet man diese doch wohl konstitutiven Unterschiede, muß man urteilen: Die johanneische Eschatologie ist trotz einer erkennbaren gleichen Struktur (der erhöhte Christus gibt ewiges Leben vor dem Tod) nicht aus demselben Holz geschnitzt wie der korinthische Enthusiasmus. Eine phänomenologische Vereinerleiung mit einem gedehnten und zu allgemeinen Begriff Enthusiasmus versperrt die Einsicht in diese vorhandenen Verschiedenheiten.

Diese Beobachtungen machen zugleich schlaglichtartig klar, daß zwischen der paulinischen Position in 1 Kor 15 und Joh 5 eine unüberbrückbare Differenz besteht: Paulus hatte von seinem Gottesbild her und unter Beachtung der Penetranz der Todeswirklichkeit in diesem Leben auch gerade gegen die Annahme gekämpft, man habe hier schon in irdischer Wirklichkeit ewiges Leben. Für ihn blieb dieses Heilsgut im strengen Sinn Hoffnung. Für die johanneische Tradition ist es in Übereinstimmung mit den Korinthern schon jetzt zu »haben«.

10.2. DIE TRADITIONEN VOM IRDISCHEN ALS LEBENSSPENDER

Alle Konzeptionen von Hoffnung auf endgültiges heilvolles Leben, die bisher überhaupt besprochen wurden, hatten durchweg wenigstens Elemente apokalyptischer Heilserwartung bei sich. Zwar standen sie alle unter dem Gesichtspunkt erheblicher Reduktion der Apokalyptik, aber sie waren nie ganz außerhalb zumindest des Hintergrundes der Apokalyptik angesiedelt. Dies galt auch noch in modifizierter Form von den eben besprochenen Traditionen in 10.1. Aber schon hier kündigte sich an: Der Besitz ewigen Lebens war als individuelles Heil abseits endgeschichtlich-apokalyptischer Erwartung konzipierbar. Die johanneische Traditionsgeschichte zeigt nun, daß christologische Konzeptionen in ihr existieren, die gänzlich *jenseits des apokalyptischen Horizontes* angesiedelt sind. Drei Beispiele sollen dafür vorgeführt werden. Zu ihnen wird die Behauptung aufgestellt, daß sie sich trotz ihrer jetzigen Integration in die

Theologie des Evangelisten verselbständigen lassen und innerhalb der Theologiegeschichte der johanneischen Gemeinde einmal eigene Zentren christologischer Entwürfe bildeten. Die prinzipielle Selbständigkeit bedeutet nicht, daß sie möglicherweise schon vor dem Evangelisten sich mit anderen Konzeptionen verbanden. Dies ist sogar nachweislich nicht der Fall. Allerdings haben sie eine je für sich so beherrschende Stellung eingenommen, daß sie in jedem Fall konzeptionell in ihrem Bereich beherrschend waren und eine führende Orientierungsfunktion im christologischen Denken einnahmen.

Unabhängig von der speziellen Frage nach dem ewigen Leben und der Auferstehung ist zum Aufweis des ersten christologischen Entwurfs dieser Art an die *Semeiaquelle*[8] zu erinnern. Sie sieht in Jesus einen Menschen mit natürlicher irdischer Herkunft, der als solcher ein mit göttlichen Kräften begabter Wundertäter ist. Die Zeichnung seiner Person und des Heils, das er bringt, geschieht ohne jede Eschatologie. Das Schauen der Wunder dieses göttlichen Menschen soll dazu führen, in ihm den »Sohn Gottes« zu sehen und an ihn zu glauben (20,30f). Dies kann geschehen, weil die Wunder als Epiphanie göttlicher Kräfte, mit denen der Wundertäter ausgestattet ist, verstanden sind und gerade in ihrer massiven Steigerung des Wunderhaften dafür Transparenzcharakter besitzen.

Das zweite Beispiel, das hier genannt zu werden verdient, steht relativ nahe bei dieser Epiphanie des Göttlichen im Wunder. Es begegnet im christlichen Schluß des ehedem selbständigen Logoshymnus, also in *Joh 1,14.16.*[9] Hier liegt offenbar eine fortentwikkelte Christologie vor, die von dem in die Welt gekommenen Präexistenten spricht. Er offenbart seine Herrlichkeit — zum Beispiel im Wunder — und ist seiner göttlichen Fülle nach dem Eingang in die menschliche Sphäre keineswegs beraubt. Ja die sichtbare göttliche Fülle ist gerade — über das Medium des Schauens angeeignet — Voraussetzung des Erlösungsvorganges: Im Schauen dieser Herr-

---

[8] Es kann hier nicht der Ort sein, ausführlich in die Diskussion über die Wunderquelle im vierten Evangelium einzutreten. Thetisch verweise ich darum auf meine Ausführungen in NTS 16 (1969/70) 130ff.

[9] Wiederum kann nur thetisch auf *Müller*, Geschichte 30f.39f, verwiesen werden.

lichkeit des Logos erhält man Anteil an seiner Gottheit. Außerhalb apokalyptischer Hoffnung, auch abseits von einer Kreuzes- und Erhöhungschristologie wird hier der Irdische als der von Gott Gekommene als Epiphanie voller Göttlichkeit aufgefaßt, und das Schauen dieser epiphanen Gottheit bedeutet Teilhabe an ihr — offenbar durch Transformation in sie.

Nun mag offen bleiben, ob nicht in dem Heilsbegriff der Gnade in 1,14.16 die Gabe der Unvergänglichkeit mitgesetzt ist. In jedem Fall wird von diesem Ansatz her das Kommen des Sohnes nicht wie in Phil 2,7 als Erniedrigung und Entäußerung verstanden, sondern gerade als Epiphanie voller Gottheit. Also liegt die Aussage nicht mehr fern, daß der Epiphane, das bedeutet: der vom Himmel gekommene Irdische, Lebensspender ist. Daß diese Sachaussage im Zusammenhang solcher *Epiphanienchristologie* ihren festen Platz hat, belegt *1 Joh 1,1-3*: ». . . Was wir mit unseren Augen gesehen, was wir geschaut und was unsere Hände betastet haben in bezug auf das Wort des Lebens — und das Leben ist erschienen, und wir haben es gesehen . . . und verkündigen euch das ewige Leben, das beim Vater war und uns erschienen ist —, was wir gesehen . . . haben, verkündigen wir euch . . .«. Massiver kann sich die Epiphanienchristologie im Verein mit der Gabe des ewigen Lebens kaum zu Wort melden! Das Kommen Christi ist selbst die Epiphanie des Lebens. Ihn zu schauen als Irdischen, beziehungsweise an ihn als die irdische Epiphanie zu glauben, das ist Heilsziel.

Von diesen Erwägungen her wird es nun schon etwas verständlich, wie das Johannesevangelium sagen kann: »Das Brot Gottes ist der, der vom Himmel herabgekommen ist und der Welt Leben gibt« (3,33), oder: »Jeder, der den Sohn sieht und glaubt an ihn, hat ewiges Leben . . .« (6,40). Herabkommen — sehen — glauben — Leben haben, diese Abfolge erinnert stark an die Epiphanienchristologie und endet wie diese *im präsentischen Heilsbesitz* des ewigen Lebens, das der Irdische gibt, weil er selbst es ist (6,35). Doch wäre es voreilig, diese aus Joh 6 ausgewählten Aussagen glatt und unmittelbar mit der Epiphanienchristologie zu verrechnen. Sie haben damit zu tun, aber verdanken sich zu einem wesentlichen Teil auch dem Bereich, der als drittes Beispiel nunmehr zur Erörterung ansteht.

Zur Kennzeichnung dieses Bereiches geht man vielleicht am besten von der stereotypen und im Johannesevangelium breit gestreuten Wendung »(der Vater), der mich sandte« aus. Es ist schlechterdings nicht vorstellbar, daß der Evangelist sie neu prägte, dafür tritt sie zu gehäuft und stereotyp auf. Diese Formel weist nun hinreichend sicher aus, daß im johanneischen Traditionsbereich Christologie auch von der »Sendung« her betrieben wurde. Dabei wird man nicht fehlgehen, in ihr einen späten Absenker der in Röm 8,3 anzutreffenden Form der Sendeformeln zu sehen,[10] vornehmlich, weil hier dasselbe Verb im geprägten Zusammenhang anzutreffen ist. Zudem verarbeitet der Evangelist in Joh 3,17 ein verwandtes Formelschema, das ebenfalls in den Zusammenhang der Sendeformeln gehört (vgl. oben 4.1.). Für diese ist charakteristisch, daß in ihnen von der Sendung des Sohnes her der Heilssinn Christi formuliert wird — unter Ausklammerung von Kreuz, Auferstehung und apokalyptischer Zukunftserwartung. So heißt es formal analog Joh 3,17: »Gott sandte den Sohn nicht in die Welt, daß er die Welt richte, sondern daß die Welt durch ihn gerettet werde«.

Ganz ähnlich sieht es mit Sätzen aus, die vom »Gekommensein« des Sohnes (andere Hoheitstitel sind möglich) reden. Solche Sätze, die rückblickend auf das Gesamtwerk Jesu unter dem leitenden Gedanken seines Gekommenseins seine Heilsbedeutung artikulieren, sind schon aus den Synoptikern bekannt.[11] Aber abgesehen von einigen in der Formstruktur liegenden Übereinstimmungen gibt es von ihnen her keine inhaltliche Brücke zu johanneischen Aussagen. Hier stößt man auf folgende Formulierung Joh 12,46f: »Ich bin als Licht in die Welt gekommen, damit jeder, der an mich glaubt, nicht in der Finsternis bleibt . . . Ich bin nicht gekommen, um die Welt zu richten, sondern um sie zu retten!«.[12] Diese Aussageform — abgesehen vom Ich-Stil der Offenbarungsrede — begegnet ebenfalls im Bekenntnis 11,27: »Ich habe den Glauben erlangt, daß du der Christus, der Sohn Gottes bist, der in die Welt gekommen ist«. Diese bekenntnisartige Typik erinnert an 1 Tim 1,15: »Jesus Christus ist in die Welt gekommen, um Sünder zu retten« (vgl. auch

[10] Vgl. *Kramer*, Kyrios § 25c, und oben 4.1.
[11] Vgl. dazu *Bultmann*, Tradition 164f.
[12] Vgl. weiter Joh 3,19; 3,31; 5,43; 7,27f; 10,10.

noch 1 Joh 5,6; 2 Joh 7). Diese wenigen Angaben mögen genügen, um die These aufzustellen, daß die Aussagen vom Gekommensein Jesu im Johannesevangelium sich bekenntnisartiger geprägter Sprache bedienen. Ihre formalen Eigentümlichkeiten sind vor allem auch dann, wenn der Stil der Offenbarungsrede zu konstatieren ist, auffällig verwandt mit den Aussagen, die Jesu Sendung erwähnen.

Nun leiten sich die Sendeformeln aus dem Bereich *jüdisch-hellenistischer Weisheitsspekulation* ab (vgl. Weish 19,10).[13] In diesem Milieu begegnen auch Aussagen vom »Kommen« der mythisch verstandenen Weisheit in die Welt (z. B. äthHen 42,2), einerlei, ob dies auch der ursprüngliche Wurzelboden dieser Aussage ist.[14] Es ist nicht von ungefähr, daß beide formelhaften Aussagen (Sendung und Kommen) gerade in der johanneischen Offenbarungsrede anzutreffen sind, die ihrerseits — unter anderem durch den johanneischen Dualismus modifiziert — letztlich auch in der Offenbarungsrede der mythischen Weisheit ihre Wurzeln hat (vgl. Spr 1,22-33; 8,4-36; Sir 24,3-22).[15] Abgesehen von diesem gleichen religionsgeschichtlichen Wurzelboden gehen darüber hinaus die formelhaften Aussagen von der Sendung und vom Kommen sowie die Offenbarungsrede im gemeinsamen Gefälle der Aussagen, im gleichen Ansatz und in derselben Aussagestruktur zusammen: Jeweils wird vom Gekommensein der Heilsgestalt her Soteriologie entfaltet, indem die gesamte Heilsgestalt die Hörer zur Entscheidung über das eigene Heil oder Unheil aufruft angesichts der Botschaft und Heilsgabe, die sie als Offenbarung Gottes jetzt vertritt. Diese Grobskizze, die sich erheblich verfeinern und erweitern ließe, mag hier genügen, um eines klarzustellen: Der Ansatz bei der Sendung des Sohnes ist im Johannesevangelium ein eigenständiger, von dem her gleichrangig neben dem Ansatz bei der Erhöhung Christologie betrieben wird. Wird dieser Ansatz konsequent angewendet (was beim Evangelisten selbst nicht der Fall ist), dann gerät Christologie unter Absehung von Kreuz und Auferstehung/Erhöhung unter den

---

[13] Vgl. *Schweizer*, Neotestamentica 105ff; *ders.*, Beiträge 83ff.

[14] Vielleicht ist teilweise auch in Anlehnung an die hellenistische Prophetie formuliert, vgl. *Bultmann*, Tradition 168 Anm. 2. Die Belege sind vermehrbar.

[15] Vgl. dazu *H. Becker*, Reden 41ff, dem man soweit folgen kann.

beherrschenden Gesichtspunkt der Heilsvermittlung durch den in die Welt Gekommenen. Daß Traditionsmaterialien der Reden diese Konzeption vertreten, ließe sich bald nachweisen. Doch ist für das zu verfolgende Thema wichtiger, sofort noch hinzuzufügen, daß unter Einfluß des strukturell ganz analogen Epiphaniedenkens nun in dem Gesandten die volle Gottheit redet, also das gekommene Leben ewiges Leben spendet.

Unter diesen Bedingungen stehen Aussagen wie die Verheißung in Joh 4,14: »Wer von dem Wasser trinkt, das ich ihm geben werde, wird in Ewigkeit keinen Durst haben, sondern das Wasser, das ich ihm geben werde, wird in ihm zu einer Wasserquelle werden, die fortwährend zum ewigen Leben sprudelt«. Oder: »Ich bin das Brot des Lebens. Wer zu mir kommt, wird nicht hungern, und wer an mich glaubt, wird nie mehr Durst haben«. Ähnlich heißt es 6,50a: »Ich bin das lebendige Brot, das vom Himmel herabgekommen ist. Wenn jemand von diesem Brot ißt, wird er in Ewigkeit leben«. Erwähnung verdient auch der mit einer geringfügigen Variante zweifach überlieferte Spruch in 8,51f: »Wenn jemand mein Wort befolgt, wird er in Ewigkeit den Tod nicht sehen (schmecken)«. Das Gegenteil dazu steht 8,24: »Wenn ihr nicht glaubt, daß ich es bin, werdet ihr in euren Sünden sterben«. Diese leicht vermehrungsfähigen Beispiele sind unabhängig von der Diskussion ausgesucht, ob sie dem Evangelisten vorgegebene Tradition bilden oder nicht. Hinreichend ist hier die Einsicht, daß die Typik und die Häufigkeit solcher Aussagen sich nicht einfach dem Genius des Evangelisten verdanken, sondern eine in der johanneischen Tradition typische christologische Denkweise repräsentieren. Damit ist auch gesagt, daß — so sicher von der Erhöhungschristologie her Rückprojektionen auf die Funktionen des Irdischen getätigt wurden — daneben für die johanneische Tradition selbständig der *Ansatz der Christologie beim Gesandten* in Rechnung zu stellen ist.

Zu diesen Beispielen ist noch einiges gesondert anzumerken: Das Heil ist an der Entscheidung des einzelnen orientiert, also im Ansatz individualistisch. Das Heil — also auch das Leben — spendet der Irdische den Menschen, die auch nicht zum Beispiel gruppenspezifisch, sondern alle (»international«) und je einzeln angesprochen werden. Sie erhalten Leben vor dem Tod. Ohne solche Gabe wären sie verloren. Also ist die leitende Grundfrage, auf die eine Antwort zuteil wird: Wie bekommt man Leben, bevor man stirbt, damit man nicht im Tod vergeht? Der Tod wird also vor seinem Eintritt überholt, weil der Mensch ihm gegenüber immun geworden ist. Eine kosmisch universelle Eschatologie, die das Ende von Welt und Geschichte einplant, ist hier nicht nur entbehrlich, sondern — streng genommen — stilwidrig. Hier wird in der Tat Soteriologie betrieben *jenseits von Apokalyptik.* Daß im Rahmen der johanneischen Traditionsgeschichte dieser Ansatz sich mit anderen verbinden konnte, sagt nichts darüber aus, daß er prinzipiell eigenständig ist. Eine solche Kontamination begegnet unter anderem im Bereich sakramentalen Denkens und soll als nächstes vorgestellt werden.

Vorab muß aber noch eine andere Feststellung gemacht werden: War zu den beiden Traditionsstücken Joh 3,35f und 5,19ff fixiert worden, daß hierbei wegen des Zusammentreffens von Erhöhungschristologie und Immunität dem Tode gegenüber die Erinnerung an die korinthischen Gegner des Paulus wach werde, so muß nun betont werden, daß die Verbindung dieser Art von Todesüberwindung mit der Epiphanienchristologie *keinen Vorgänger* in den bisher untersuchten Materialien hat. Trifft es ferner zu, daß die Traditionen, die die Erhöhungschristologie betreiben, eher rudimentär und spärlich sind, hingegen der Ansatz beim Irdischen als epiphanen Gesandten viel dominanter die johanneische Traditionsgeschichte bestimmt, dann wird man der korinthischen Gemeinde und dem johanneischen Gemeindeverband auch unter diesem Aspekt je Selbständigkeit zugestehen müssen.

10.3. JOHANNEISCHER SAKRAMENTALISMUS

In *Joh 3,3.5*[16] hat der Evangelist einen *Einzelspruch* verarbeitet, der im Stil weisheitlich-apokalyptischer Belehrung einhergeht und eine Variante von Mk 10,15; Mt 18,9 ist. Der Spruch lautet: »Wenn nicht jemand von oben geboren wird, kann er die Gottesherrschaft

---

[16] Vgl. zu Joh 3 meine Ausführungen in: Das Wort und die Wörter 85ff.

nicht sehen«, beziehungsweise: »Wenn nicht jemand aus Wasser und Geist geboren wird, kann er in die Gottesherrschaft nicht eingehen«. Ist schon durch den Verweis auf die synoptischen Parallelen die Selbständigkeit der Tradition gegenüber dem Evangelisten gesichert, so kann dies auch noch aus dem Spruch und seinem jetzigen Kontext selbst erschlossen werden. Der Begriff »Gottesherrschaft / Reich Gottes« ist unjohanneisch. Auch »von oben geboren werden« beziehungsweise »aus Wasser und Geist geboren werden« ist abgesehen von einem Vorgriff in 1,13 sonst kein Sprachgebrauch des vierten Evangelisten. Zudem fehlt dem Satz jede explizite Christologie, was einen besonders eklatanten Differenzpunkt zum Evangelisten ausmacht. So wird man anzunehmen haben, daß die frühe johanneische Gemeindetradition einen synoptischen Splitter aufgriff, der im Verlaufe johanneischer Traditionsbildung einen im Unterschied zur synoptischen Überlieferung veränderten Inhalt erhielt, wobei wahrscheinlich beide Überlieferungsvarianten in Vers 3 und Vers 5 dieser Traditionsbildung entstammen. Jedenfalls ist sicher, daß der Evangelist Vers 5 — also die Variante, die von der Geburt aus Wasser und Geist spricht — benutzt, um die erste Variante zu interpretieren und um anschließend ab Vers 6 die Geburt aus dem Geist in seinem Sinn auszulegen.

Dabei fällt auf, daß er nur auf den Geist abhebt und das Wasser unbeachtet läßt. Diese Beobachtung hat häufig dazu geführt, das »aus Wasser« einer späteren kirchlichen Redaktion zuzuweisen. Nun hat in der Tat die Reminiszenz des Wassers keine Verwurzelung im Kontext, und sie sichert in besonders auffälliger Weise das sakramentale Verständnis des Satzes: Die Geburt aus Wasser und Geist kann natürlich nur an die Taufe denken lassen. Auch hier ist sicher, daß der Evangelist in Joh 3 einen direkten Bezug auf die Taufe nicht intendiert, sondern die Geburt aus dem Geist mit Hilfe des Begriffs des Glaubens auslegt.

Aber statt diese Beobachtungen zugunsten einer späteren Redaktion anzuführen, kann man sie auch in einem anderen Sinn verwenden: Da in Vers 5 kein eigentlicher literarischer Bruch erkennbar ist, wäre es ebensogut denkbar, daß der Evangelist in der Tradition schon die volle Angabe »aus Wasser und Geist« vorfand. Er hat dann nur das Stichwort für seinen Zusammenhang aufgegriffen, das er brauchen konnte, nämlich den Geist. Ähnlich geht er auch sonst mit Tradition um (vgl. z. B. Joh 14,6). Im übrigen bleibt Vers 5 auch ohne die ausdrückliche Nennung des Wassers für urchristliche Ohren taufbezogen, so daß der sakramentale Sinn von Vers 5 in jedem Fall feststeht.

Dann gibt es in der johanneischen Gemeinde vor dem Evangelisten schon eine Tendenz, die *sakramentalistisch* denkt: Das Sakrament der Taufe ist heilskonstitutiv. Die Handlung der Taufe (vom Glauben ist in der Tradition von Vers 5 keine Rede, genausowenig wie im Herrenmahlsabschnitt in Joh 6!) ist als geistliche Geburt ausgelegt, die unabdingbar notwendig ist, um am erwarteten Gottesreich zu partizipieren. Dabei wird auch schon für die johanneische Tradition der für sie nicht typische synoptische Begriff des Reiches Gottes eine Auslegung im Sinne des ewigen Lebens erfahren haben. Dies legt die Deutung des Evangelisten nahe (3,14ff), ebenso Mk 9,43-47 und vor allem die Überlieferung vom Herrenmahl in Joh 6. Unter dieser Voraussetzung ergibt sich: Partizipation am ewigen Leben ist nur möglich aufgrund der Taufe, die den Geist als Leben (vgl. Joh 6,63) vermittelt. Diese Auslegung kann endlich eine Bestätigung durch 1 Joh 3,24 erhalten: Gegen den eigentlichen Trend des Kontextes, der die Befähigung zur Bruderliebe versteht als Zeichen, bleibendes Leben in sich zu haben (3,14.15.24a), kommt am Schluß des Abschnittes 3,24b der Gedanke vor, daß dies an dem »Geist, den er uns gegeben hat« liegt.

Unter diesen Voraussetzungen besteht also überhaupt keine Veranlassung, das »aus Wasser« erst späterer Redaktion zuzuweisen. An der Auslegung des Satzes ändert sich so oder so nichts. Es bleibt für die johanneische Tradition der Tatbestand, daß schon vor dem Evangelisten eine sakramentalistische Strömung existierte. Ebenso sicher ist, daß *der Evangelist* wegen seiner Umdeutung in Joh 3 *kein Sakramentalist* ist, ja sein Abheben auf den notwendigen Glauben des einzelnen ihn gerade auszeichnet als einen Theologen, der in jedem Fall so massiv sakramentalistisches Denken wie Joh 3,5 nicht zu seinen theologischen Konstituenten zählt. Endlich zeigt die sakramentalistisch umgeprägte synoptische Tradition in Vers 5 eine theologische Verwandtschaft zur Theologie der Korinther. Auch dort blühte der Sakramentalismus. Wobei gerade die Vika-

riatstaufe signalisierte, wieviel Wert man auf die Taufe als Geist-
übermittlung legte, da dieser Geist offenbar das Leben spendete,
das den Tod zu überdauern vermochte. Genauso wird man sich die
Begründung für die Notwendigkeit der Taufe und das Absehen
vom Glauben des einzelnen in Joh 3,5 zurechtlegen müssen: Die
Handlung der Taufe vermittelt als Geist das Leben, das den Tod
überdauern kann.

Nun gibt es bekanntlich in *Joh 6* noch einen Abschnitt, der ähnlich
massiv sakramentalistisch in bezug auf das *Herrenmahl* denkt. Zwar
ist seine nähere Abgrenzung im Kontext umstritten. Auch wird immer noch diskutiert, ob dabei der Evangelist Tradition aufgriff
oder eine kirchliche Redaktion am Werke war. Aber diese offenen
Fragen können nicht daran hindern, daß die dort vertretene sakramentalistische Theorie schon längst zur Zeit des Evangelisten zumindest einen Teil der johanneischen Gemeinden prägte und wohl
auch neben und nach dem Evangelisten größere Bedeutung hatte.
Dies geht schon aus 3,5 hervor. Angesichts dieser Sachlage braucht
in diesem Zusammenhang nur thetisch festgestellt zu werden, daß
die Eingrenzung des Abschnittes mit 6,51c-58 immer noch am besten
angegeben erscheint, und die Annahme einer kirchlichen Redaktion,
die nach dem Evangelisten am Werke war, für diesen Teil in Joh 6
ebenfalls immer noch am einfachsten die komplizierten Fragen in
Joh 6 zu lösen hilft. Doch sei noch einmal betont: Die folgenden Erörterungen zu diesem Abschnitt orientieren sich zwar an diesen
thetischen Setzungen, ihre sachliche Aussagekraft bleibt aber davon
unabhängig bei jeder anderen Entscheidung in gleicher Weise erhalten.

Soll dieser Abschnitt inhaltlich charakterisiert werden, so muß als
erstes festgehalten werden: Im eklatanten Unterschied zu den sonstigen Traditionen über das Herrenmahl im Neuen Testament ist
im vierten Evangelium das Herrenmahl nicht an die Passion Christi
gebunden, sondern christologisch von der *Sendung des Sohnes* durch
den Vater bestimmt (V. 57f). Also nicht nur der Evangelist und
seine Tradition über die Passion Jesu kennen keine Abendmahls-
paradosis im Zusammenhang von Joh 13-20, sondern die im Johannesevangelium erkennbare Auslegung des Herrenmahls (Joh 6) hat
selbst auch keinen einzigen Bezug zur Passion und orientiert sich

christologisch an einem Ansatz, der aus 10.2. für den johanneischen Traditionsbereich herausgearbeitet wurde.

Ebenso deutlich tritt ein weiterer grundlegender Differenzpunkt zur gesamten sonstigen Überlieferung vom Herrenmahl zutage: Nirgends ist überhaupt — geschweige denn so durchgehend und konsequent — das *ewige Leben* als Heilsgabe des Mahles herausgestellt. Auf diese Gabe ist in Joh 6,51cff nahezu in jedem Vers verwiesen als der exklusiven einzigen Heilserwartung, die mit dem Mahl verknüpft ist. Dies ist auch insofern ein Unterschied zur sonstigen johanneischen Tradition — abgesehen von Joh 3,5, wenn die dazu gegebene Auslegung zutrifft —, als nirgends sonst im vierten Evangelium die Lebensgabe an die sakramentale Vermittlung gebunden wird. Dies fällt um so mehr auf, als der Glaube, dessen Heilsfolge sonst das ewige Leben ist, hier in 6,51cff vergeblich gesucht wird. Die Teilnahme am sakramentalen Mahl wirkt von sich aus. Wer Jesu Fleisch und Blut als Sakramentssubstanzen zu sich nimmt, »hat ewiges Leben in sich« (V. 53c), weil die genossene Speise unabhängig vom Verhalten des Menschen Lebenssubstanz ist. Entsprechend heißt es Vers 57: »Wie mich der lebendige Vater (das heißt, der Vater, der allein von sich aus Leben ist und hat) gesandt hat und ich durch den Vater lebe (also von ihm Lebensanteil erhielt, vgl. 5,26), so wird auch, wer mich ißt (also über die sakramentale Speise von mir Lebenssubstanz erhält), durch mich leben«. Darum kann auch der Vergleich mit dem Manna so verlaufen: »Dies ist das Brot, das vom Himmel herabgekommen ist, nicht wie die Väter aßen und starben, sondern wer dies Brot ißt, wird in Ewigkeit leben« (V. 58). Die Herrenmahlssubstanz ist Unsterblichkeitsmedizin, die man wie ein Arzneimittel einnimmt, um sich gegen den Tod zu immunisieren. Damit ergibt sich zugleich ein weiterer Aspekt für die Auslegung des Herrenmahls: Das Sakrament ist Antwort auf die Frage, wie man vor dem endgültigen Verfall an die für Menschen unentrinnbare schicksalhafte Vergänglichkeit dieser durch substantielle Partizipation an der Unsterblichkeit entkommen kann.

Wer so »Leben in sich hat« (V. 53c), wird bei seinem individuellen Tod nicht der Vergänglichkeit anheimfallen. Dies bedeutet, daß er über den Tod hinaus auch postmortal »in dem Sohn bleibt und dieser in ihm« (V. 57). Endgeschichtlich-apokalyptische Erwartungen sind hier also überflüssig, entbehrlich und sogar fremd. Gegen diese tendenzielle Ausrichtung wird nun aber in Vers 54c die *apokalyptische Vorstellung des jüngsten Tages* eingebracht. An ihm wird der Sohn den ehemaligen Mahlgenossen aufgrund seiner Lebenssubstanz auferwecken. Diese Aussage wird man trotz der sachlichen Dissonanz nicht einer noch späteren Redaktion zuweisen dürfen. Denn die Sakramentalisten im johanneischen Gemeindeverband sind als Vertreter der (zweiten und) dritten Generation sicher Traditionalisten. Für sie gehörte der jüngste Tag bereits zum konstitutiven Weltbild christlichen Glaubens. Darum mußte er auch hier seinen Platz erhalten. Darum wird er ebenso 6,39f.44 nachträglich eingefügt. Für diese Annahme spricht endlich, wie der Evangelist in Joh 11,23-26 die endzeitliche Totenauferweckung für seine Zeit und seinen Gemeindeverband als allgemein und unbestritten voraussetzt, um sich mit ihr polemisch auseinanderzusetzen (vgl. auch 5,24-27). Die Sakramentalisten im johanneischen Gemeindeverband sind also Vertreter, die der Tradition unverbrüchlich Geltung geben und somit »Orthodoxie« repräsentieren wollen.

10.4. DER EVANGELIST

Der Evangelist ist der einzige uns aus dem Urchristentum bekannte Autor, der mit einer sonst nicht beobachtbaren *Freiheit* mit Tendenzen aus seiner Gemeindetradition umgeht. Er scheut sich dabei nicht, sich — wahrscheinlich in Kenntnis des Sachverhaltes — sogar gegen das gesamte Urchristentum überhaupt zu stellen, wie im Fall der apokalyptischen Enderwartung. Dabei ist diese Freiheit nicht Selbstzweck, sondern Mittel, um zu versuchen, die zu seiner Zeit lebendigen Positionen im johanneischen Gemeindeverband zu *integrieren*, wobei er sie, um ein Neues und Ganzes zu erreichen, zum Teil erheblich *uminterpretiert*. Sicherlich, er kann der Vorstellung einer sakramentalistisch vermittelten Lebenssubstanz und ihrer Verabreichung abseits vom Glauben nichts abgewinnen, aber er benutzt in Joh 3,5 eine typische Aussage der Sakramentalisten, um seine an den Glauben gebundene Lebenserwartung darzustellen. Ebenso weiß er sich mit einem Haupttrend seiner Gemeindetheologie einig, daß dem Irdischen lebensvermittelnde Funktion zukommt, aber er korrigiert und weiß, daß dies Anstoß erregen wird, indem er die Erhöhungschristologie als ihm notwendig erscheinende Ergänzung neu zum Tragen bringt (Joh 3,12ff; 6,60ff; 12,20ff; 13,31ff). Endlich wirft er auch die traditionelle futurisch-apokalyptische Eschatologie mit der Parusie Christi als Zentrum nicht einfach fort oder redet stillschweigend unter Absehung von ihr wie die Epiphanienchristologie, so sicher er im Unterschied zu den Sakramentalisten sieht, daß nur Bewahren quasi kanonischer Vorstellungen nichts Sinnvolles ist, vielmehr Tradition interpretierend angeeignet sein will. So benutzt er die Parusieerwartung, um sie kritisch verarbeitet aufgreifen zu können, allerdings in einer Weise, die anstößig und einmalig ist, nämlich zur Kennzeichnung des gekommenen Irdischen und seines Heilswerkes (Joh 3,17ff; 5,24ff; 11,24ff; 12,31f). Das futurische Element des Glaubens bringt er dabei auf andere Weise zur Geltung (11,25f; 12,32). Diese Beispiele sind außerhalb des thematischen Rahmens, der hier gezogen wurde, vermehrungsfähig, so daß man für den Evangelisten überhaupt feststellen kann: Er ist unter den bekannten Theologen seiner Generation wohl der einzige, der im Milieu traditionsverhafteter Konsolidierung eine ungeheure Freiheit den Traditionen gegenüber zeigt, um sie sich auf diese Weise theologisch reflektiert aneignen zu können. Er erfaßt die Aufnahme von Tradition in radikaler Weise, um so eine geistig verantwortete Integration derselben zu einer neuen theologischen Position zu starten.

Zur genaueren Kennzeichnung der Position des Evangelisten setzt man am besten bei den beiden Stellen ein, die betont zugespitzt die *traditionelle Parusieerwartung* auf den *Irdischen* übertragen. So heißt es in 3,17f: »Gott hat seinen Sohn nicht in die Welt gesandt, damit er die Welt richte, sondern damit die Welt durch ihn gerettet werde. Wer an ihn glaubt, wird nicht gerichtet. Wer nicht glaubt, ist schon gerichtet, weil er an den Namen des einzigen Sohnes Gottes nicht geglaubt hat«. Dazu ist 5,24ff zu stellen: »Wer mein Wort hört und dem glaubt, der mich gesandt hat, der hat ewiges Leben und kommt nicht ins Gericht, vielmehr ist er aus dem Tode ins Leben hinübergeschritten . . . Die Stunde kommt und ist jetzt da, in der die Toten die Stimme des Sohnes Gottes hören können, und die, die sie hören, werden leben. Denn wie der Vater Leben in sich selbst hat, so hat er auch dem Sohn verliehen, Leben in sich selbst zu haben. Und er hat ihm Vollmacht gegeben, Gericht zu üben, weil er der Menschensohn ist«.

Beide Stellen gehen christologisch von der Sendung des Sohnes durch den Vater aus. Das lag von der Gemeindetradition her nahe, wird vom Evangelisten aber sofort neu interpretiert: Diese *Sendung* ist die traditionell noch erst erhoffte *Parusie* des Menschensohnes. Eigentlich erwartet man von dem Ansatz bei der Sendung her als christologische Titulatur den Sohnestitel. Dies ist auch bis auf eine Ausnahme der Fall, denn nur in 5,27 begegnet der Titel Menschensohn. Seine dortige Verwendung ist nicht Zufall. Sie erweist sich als absichtliche Uminterpretation der typischen Menschensohnvorstellung. Dieser kommt am Ende der Tage zum Gericht. Nun aber heißt es: Weil der Sohn als schon gekommener der Menschensohn ist, hat Gott ihm die Vollmacht übergeben, Gericht zu halten. Gemeinde und Welt stehen also nicht mehr in Erwartung der kommenden Parusie des Menschensohnes Jesu, sondern blicken bereits auf sie zurück.

Daß der Evangelist absichtsvoll diese *tiefgreifende Uminterpretation* vollzog und dabei sehr wohl vertraut war mit der apokalyptischen Vorstellung vom Menschensohn und der allgemeinen Totenauferweckung, beweisen einmal die anthropologischen Folgen, die 3,17f und 5,24ff ausgesprochen werden. Davon wird gleich zu reden sein. Zum anderen kann dies an 11,24ff abgelesen werden, wenn dort das traditionelle Glaubensbekenntnis der Martha: »Ich weiß, daß er (Lazarus) in der Auferstehung am jüngsten Tage auferstehen wird«, zurückgewiesen wird und in dem Ich-bin-Wort von der Auferstehung eine polemische Entgegnung erhält, die sachlich deckungsgleich mit 5,24ff ist. Zum dritten wird die schon besprochene apokalyptische Verheißung in 14,2f in der darauffolgenden Exegese des Evangelisten ganz analog nicht nur umakzentuiert, sondern geradezu ersetzt durch eine Auffassung, die abermals mit 5,24ff d'accord geht.[17] Aus diesen Gründen führt kein Weg an der Erkenntnis vorbei, daß der Evangelist den Irdischen als zur Par-

---

[17] Vgl. *J. Becker*, Abschiedsreden 221ff.

usie des Menschensohnes gekommen ansieht, eine weitere Parusie in der Zukunft darum nicht ins Auge fassen kann und also auch Totenauferweckung und Gericht ins Präsens legen muß.

So zwingend, wie diese Annahme ist, so notwendig ist es dann auch — ganz abgesehen von stilistischen, sprachstatistischen und vom Kontextzusammenhang sich ergebenden Gründen —, im weiteren Kontext von 5,19ff die Verse *5,28f* einer *späteren Redaktion* zuzuschreiben. Wenn es heißt: »Wundert euch nicht darüber, daß die Stunde kommt, in welcher alle, die in den Gräbern sind, seine Stimme hören und hervorgehen werden, die das Gute getan haben, zur Auferstehung für das Leben, die das Böse verübt haben, zur Auferstehung für das Gericht«, dann hat diese Redaktion erkannt, wie der Evangelist die Zukunft von der Parusie, der Totenauferweckung und dem Gericht entleert hat, und wie es für sie wichtig ist, dem 11,24ff zurückgewiesenen Marthaglauben erneut Gehör zu verschaffen.

Man wird auf den ersten Blick sagen, daß die *kirchliche Redaktion,* die die allgemeine Auferstehung der Toten zum Leben und zum Gericht abermals einbringt, aus *Traditionsverhaftung* handelt und darum die indessen »klassisch« gewordene Auferstehung der Toten gegenüber dem Evangelisten als Neuerer zur Geltung bringt. Dies ist auch insofern der Fall, als der Evangelist 11,24ff deutlich zu verstehen gibt, daß diese Hoffnung ältere Rechte beanspruchen kann als er. Aber bei näherem Hinsehen ist doch festzustellen: Die Auferstehung aller ist jedenfalls — vorsichtig formuliert — für die erste urchristliche Generation gar nicht als Vorstellung nachweisbar. Die aufgewiesene Linie vom Maranatha über 1 Thess 1,9f zu 1 Thess 4,13ff und von dort zu 1 Kor 15 und endlich zu Phil 3,20f hat durchaus kein Interesse an einer allgemeinen Totenauferweckung, sondern gehört — religionsgeschichtlich generalisierend ausgedrückt — doch wohl am angemessensten in den Vorstellungsrahmen der *Auferstehung nur der Gerechten,* denn das Unheil der Gottlosen beziehungsweise Nichtchristen wird weitestgehend ausgeblendet. Der Ton liegt darauf: Die ganze Gemeinde wird gerettet. Auch noch in dem sakramentalen Teil von Joh 6 war nicht die Auferstehung aller im Blick, sondern nur die der Mahlteilnehmer. Überhaupt gilt doch wohl, daß dort, wo man von dem Grundsatz her denkt, man muß erst Leben erwerben, dann könne man dem Tode Paroli bieten, eine allgemeine Totenauferweckung allenfalls als Fremdkörper eingebracht werden kann.

Anders steht es mit Joh 5,28f: Auferstehung aller ist Ermöglichung des *allgemeinen Gerichts* am Ende der Tage. Im Gericht stehen sich auch nicht einfach Gemeinde und Welt gegenüber, sondern dieses ergeht *nach den Werken*. Nun ist sicherlich vorausgesetzt, daß die Gemeinde generell auf der Seite der Guten stehen wird, aber im Unterschied etwa zu Paulus, der einen Heilsverlust für Christen nicht einräumte, ist hier ein solcher im Einzelfall gut denkbar. Dies liegt an der betont sprachlich ausgeformten Symmetrie in bezug auf die Belohnung mit Leben einerseits und in bezug auf die Bestrafung andererseits. Dieses beides nun: Auferstehung aller zum Gericht nach den Werken und dabei symmetrisch-parallel ausgeformte Beschreibung von Heil und Unheil ist typisch für die dritte Generation, wie etwa Mt 25,31ff; Apg 24,15; Hebr 6,2; 1 Petr 4,4-6; Offb 20f und auch 2 Thess 1,5-10; Jak 2,13 zeigen können. Der kirchliche Redaktor, der in Joh 5 traditionelle Lehre bewahren will, erweist sich dabei also zugleich als typischer Repräsentant seiner Zeit, die hier durch rejudaisierende Apokalyptisierung der Enderwartung die allgemeine Totenauferweckung und das allgemeine Gericht im Unterschied zur ersten christlichen Generation als Zukunftserwartung vorbringt.

Der Kontrast zwischen dieser Vorstellung in 5,28f und den Ausführungen des Evangelisten wird weiter grell sichtbar, wenn konstatiert wird, daß der Evangelist das präsentische Gericht sich vollziehen läßt im Bereich von *Wort und Glauben*. Ja, wegen der Hochschätzung dieser Abfolge: Selbstoffenbarung des Sohnes im Wort und korrespondierender Glaube als Annahme des sich offenbarenden Sohnes, ist wahrscheinlich überhaupt der Irdische als Vollstrecker des Endgerichts dargestellt. Endgültiges Heil und Unheil des Menschen entscheiden sich also an Glauben und Unglauben. Dabei stellt der Evangelist betont heraus, daß dies eine Möglichkeit jedes Menschen ist (3,15ff; 5,24 u. ö) ganz analog dem traditionellen universalen Endgericht, um so einer auf prädestinatianischen Prämissen beruhenden Abkapselung der Gemeinde[18] entgegenzutreten

---

[18] Vgl. dazu *J. Becker*, Beobachtungen 78ff.

zugunsten der Universalität der Botschaft. Das ins Präsens geholte Endgericht mit seinen Attributen endgültig und universal hilft also in doppelter Weise zur Charakterisierung des Glaubensvorganges, nämlich zu seiner Qualifizierung als Entscheid zwischen endgültigem Heil und Unheil und zu seiner universellen Generalisierung als Entscheid, der jedem offensteht.

Präsentisches Gericht im Glaubensvollzug kann sich aber nur ereignen, wenn das Wort des sich selbst offenbarenden Sohnes als gleichzeitige Offenbarung des Vaters *Lebensträger* ist. Darum ist ausdrücklich gesagt, daß der Vater, der Leben in sich hat, dem Sohn dieselbe Qualifizierung zukommen ließ. Als solcher ist er gesandt. So eröffnete sein ihn selbst offenbarendes Wort Leben. Hier wird deutlich, wie sich der Evangelist einen Grundaspekt der Epiphanienchristologie dienstbar macht, um die Gleichung, Glauben heißt Leben haben, christologisch zu verifizieren. Zugleich leistet diese christologische Position dieses: Es wird verständlich, warum exklusiv nur der Sohn Leben vermitteln kann, hat doch nur er von Gott verliehen bekommen, Leben in sich zu haben. Damit wird also vom Evangelisten behauptet, daß nur die christliche Botschaft das Todesproblem lösen kann. Sie ist allen anderen Religionen dadurch überlegen, daß sie über die Selbstoffenbarung des Sohnes mit Gott als dem Ursprung des Lebens schlechthin Verbindung hat. Eine andere Möglichkeit, diesen Gott zu kennen, gibt es nicht (1,18; 5,37), also auch außerhalb des Glaubens an den Sohn kein Leben.

Die bisher geschilderten Grundzüge machen weiter deutlich, daß der Evangelist im Einklang wohl mit nahezu seiner gesamten Gemeindetradition (Ausnahme ist in jedem Fall 5,28f) von der Voraussetzung ausgeht, *man muß erst Leben erwerben, um dadurch im Tode nicht zu vergehen*: Weil der Sohn Leben in sich hat, darum ist seine Erhöhung und Verherrlichung im Kreuzesgeschehen ein souveräner Triumph des Sohnes. Sein Reich ist eben nicht von dieser Welt des Todes (18,36f), vielmehr entstammt er der himmlischen Welt Gottes (3,31f u. ö.), dem er die Vollmacht verdankt (5,26), Leben in sich zu haben. Darum kann er sich als Auferstehung und Leben für die Menschen offenbaren (11,25f). Darum hat, wer an ihn glaubt, Leben (3,16) und ist »vom Tode ins Leben hinübergeschritten« (5,24), hat also die Totenauferweckung schon hinter sich (5,25), bevor er stirbt. Darum kann sein Sterben kein Vergehen mehr sein: »Wer an mich glaubt, wird leben, auch wenn er stirbt; und jeder, der lebt und an mich glaubt, wird in Ewigkeit nicht sterben« (11,25f). Der Tod ist keine Vernichtung mehr, sondern der Übergang aus der irdischen Existenz in die himmlische: »Wenn ich erhöht bin von der Erde« — so verheißt der Sohn es den Seinen —, »will ich sie alle zu mir ziehen« (12,31). Der Tod ist also auch für den Gläubigen Erhöhung, Erhöhung durch die Vermittlung des erhöhten Sohnes, und Eingang in das Reich des Sohnes (vgl. 18,36).

Mit diesen Ausführungen setzt sich der Evangelist zwar unter anderem gegen die Auffassung ab, der Glaubende habe Auferstehung und Gericht noch vor sich, auch gegen die Annahme, das Leben sei eine Art medizinische Substanz, die vorbei an der Glaubensentscheidung des Menschen sich auswirke, und endlich gegen die These, das Leben sei epiphan schaubar und außerhalb des Glaubens ausweisbar (siehe unten), aber er reduziert nicht, wie man jüngst anzunehmen geneigt ist,[19] postmortale Lebenserwartung auf innerweltliche Entweltlichung. Vielmehr entfaltet er seine Theologie gerade insoweit im Einklang mit seiner Gemeinde und Umwelt, als auch er mit diesen von der Voraussetzung ausgeht, daß die entscheidende Existenzfrage des Menschen die Frage nach *der Überwindung der tödlichen Vergänglichkeit* ist, das heißt die Frage des individuellen Fortlebens nach dem Sterben. Er bildet seine Antwort im Rahmen des Grundsatzes, daß dies nur geschehen könne, wenn vor dem Tod schon Zugang zum Leben eröffnet ist. So ist seine spezielle Antwort immer schon getragen von dieser grundlegenden Pointe: Der Sohn ermöglicht Leben, das den Tod überdauert. Dieses Überdauern ist ein *individuelles postmortales Ausziehen aus dem Kosmos.* Ist der Glaube samt seines Lebensbesitzes, der nicht von dieser Welt stammt, irdische innerweltliche Entweltlichung, so folgt diesem Zustand die radikale, endgültige Entfernung vom Kosmos in die Seinsweise in völliger Trennung von der Welt nach dem Tode. Ewiges Leben ist definiert als Negation des Kosmos und als Existenz beim Erhöhten und seinem Vater.

---

[19] So *Schottroff*, Heil 294ff.

Damit ist gleichzeitig herausgestellt, daß für den Evangelisten im betonten Maße die *Kontinuität der Schöpfung verlorengeht*. Kontinuität ist nun ausschließlich in den Bereich der einzelnen Gläubigen verlegt: Der Glaubende hat im Glauben den Sohn und damit das Leben; er wird vom Sohn nach dem Tod erhöht werden (11,25f; 12,31). So besteht das Heilswerk des Sohnes in der Auflösung des Dualismus oben — unten, indem der Offenbarer die Seinen der Welt entzieht und die Welt der Möglichkeit von Leben endgültig beraubt. Denn wo Glaube und Leben fehlen, ist Zukunft annulliert. Von dieser Einsicht her gewinnt die Beobachtung Gewicht, daß — abgesehen von der in Joh 1,1f.11 aufgegriffenen Tradition im Zusammenhang mit dem Logoshymnus — im vierten Evangelium weder Gottes Schöpfertum noch des Sohnes Schöpfungsmittlerschaft nochmals Erwähnung finden. Die Aussagen über den Kosmos sind vielmehr sonst durchweg in den Zusammenhang möglicher oder tatsächlicher Offenbarungsfeindschaft eingezeichnet.

Endlich wäre die Lebensaussage des Evangelisten nicht vollständig skizziert, würde der dezidierte Standpunkt, Christi Lebensgabe wie auch er als Lebensspender seien *unausweisbar und nur im Glauben zugänglich*, nicht deutlich herausgestellt. Zwar übernimmt der Evangelist die Semeiaquelle und Aussagen wie etwa Joh 1,14.16, in denen das Schauen der Herrlichkeit im Sinne der Epiphanienchristologie in den Bereich massiver Direktheit und Einsehbarkeit geriet. Aber er eignet sich solche Aussagen nur an, indem er wenig später die sogenannte Tempelreinigung nicht nur gegen ihren traditionellen Ort im Passionszusammenhang an den Anfang des öffentlichen Auftretens Jesu rückt (2,13ff), sondern gerade auch dazu verwendet, um sofort aufgrund der Legitimationsfrage die irdische Unausweisbarkeit von Jesu Vollmacht zu thematisieren (V. 18ff). Auch das Zusammentreffen zwischen Jesus und Nikodemus in Joh 3 zeigt, wie nur über den Glauben der Zugang zu Jesus denkbar ist. Als weiteres Beispiel sei nochmals auf Joh 5,31ff verwiesen: Wenn hier nach den gesteigerten Aussagen in der Gerichtsrede die Legitimationsproblematik ausdrücklich in einer langen Rede thematisiert wird, macht dies deutlich, wie sehr sich der Evangelist müht, den Glauben allein als Zugang zum Leben angesichts der außerhalb des Glaubens nicht einsichtigen Verifikation der Offenbarung herauszustellen. Nicht der allgemein zugängliche und erkennbare Gott auf Erden spendet Leben, sondern der, dessen Vater und Mutter bekannt sind und der trotzdem anstößigerweise sich als vom Himmel herabgekommenes Lebensbrot bezeichnet (6,42). Die Lebensgabe des Sohnes wird also der Dimension der »Eindeutigkeit« einer epiphanen Gottheit (im Sinne von 1,14.16) enthoben, und es wird offengehalten, daß der christliche Anspruch in bezug auf die Person Jesu auch dem Verdikt der Gotteslästerung und der Möglichkeit der Glaubensverweigerung unterliegen kann (vgl. 8,56ff). Christlicher Glaube hat nach dem Evangelisten zwei Seiten: Nach innen lebt er vom Bekenntnis des Absolutheitsanspruches der Offenbarung (1,18; 5,37) und der Gewißheit, Leben schon zu haben. Nach außen gilt es, seiner Nichtausweisbarkeit und damit seiner Relativität nichts abzumarkten, denn seine Verifikation ist nur im Rahmen des Glaubens möglich.

Damit kann das *Ergebnis* der Untersuchung zum Johannesevangelium zusammengefaßt werden: Im johanneischen Traditionsbereich gibt es alte Traditionselemente, die noch Aspekte der frühen urchristlichen Parusieerwartung enthalten. Diese Linie verändert sich im Zusammenhang der johanneischen Gemeindegeschichte: Der Erhöhte wird aufgrund seiner Funktionsgleichheit mit Gott zum Spender des eschatologischen Lebens. Diese Gabe erhält der Glaubende vor dem Tod. Neben dieser am Erhöhten orientierten Konzeption gewinnt in der johanneischen Theologiegeschichte alsbald eine andere Auffassung die Vorherrschaft, nach der der Irdische Lebensspender ist. So korrespondieren die Epiphanie des Lebens im Irdischen und die präsentische Lebensgabe. Der Gesandte des Vaters als Lebensgabe erweist sich auch im Sakramentalismus der Gemeinde als konstitutiv. Der Evangelist entwirft im freien Umgang mit den Traditionen ein neues Konzept: Im Irdischen geschieht bereits die Parusie, darum vollzieht sich im Glauben an ihn auch bereits jetzt der Lebenserwerb. Auf den Glaubenden, der auf diese Weise Leben gewonnen hat, wartet ein individuelles postmortales Leben jenseits der Schöpfung und abseits sonstiger apokalyptischer Erwartung.

11. Rückblick

Betrachtet man noch einmal abschließend den Gang der Untersuchung und vergegenwärtigt sich dabei die wesentlichen Ergebnisse, wie sie schon jeweils am Schluß der einzelnen Abschnitte kurz genannt wurden, so kann man vorab feststellen, daß sich in der Tat eine theologiegeschichtliche Erörterung der Hoffnung auf Auferstehung im Urchristentum lohnt. Denn auf diese Weise erhalten die einzelnen Texte ihren ihnen gebührenden Ort sowie zugleich ihr geschichtliches und theologisches Profil. So ergab sich:

1. Johannes der Täufer und Jesus von Nazareth haben die Vorstellung allgemeiner Hoffnung auf Auferstehung der Toten in ihren Botschaften nicht verarbeitet. Unheils- und Heilsansagen treffen jeweils die gegenwärtige Generation. Das Endheil wird auf der Basis der Kontinuität der Schöpfung ausgesagt und wird auf die Zeitgenossen zukommen, ohne daß diese vorher das Todesgeschick erleiden müssen.

2. Das älteste Traditionsmaterial, das Jesu Auferweckung von den Toten durch Gott zum Thema erhebt, betont das Exzeptionelle dieses göttlichen Handelns, um so die erneute Legitimation des am Kreuz gescheiterten Jesus auszusagen. Darum kann dies Ereignis auch nicht in den Zusammenhang allgemeiner Auferstehung der Toten gestellt werden, zumal auch für die früheste Gemeinde aufgrund der hochgespannten Naherwartung das eigene Todesschicksal keine existentielle Bedeutung hatte.

3. Die christologische Entwicklung führte sehr bald zur Erwartung des kommenden Menschensohnes Jesus. Er wird die Aufrichtung des Endheils für seine Gemeinde besorgen. Diese Vorstellung ist in dem alten Gebetsruf Maranatha für die frühe Zeit der Urgemeinde bezeugt. Sie kann als älteste Stufe der direkten Christologie ebenfalls noch auf die Hoffnung allgemeiner Totenauferstehung verzichten. Jesu Auferstehung bleibt die besondere Ausnahme, durch die es Gott ermöglicht, ihn zum Menschensohn einzusetzen. Als Menschensohn wird er unter Wahrung der Kontinuität der Schöpfung alsbald die lebende Heilsgemeinde um sich sammeln.

4. Auch die älteste messianologische Deutung des Auferstandenen

(Röm 1,3b-4) versteht die Auferweckung der Toten noch exklusiv christologisch.

5. Das älteste uns erhaltene Predigtschema (1 Thess 1,9f), das syrisch-antiochenisches Christentum repräsentiert, ist der letzte faßbare Entwicklungsstand in bezug auf die Ausformung der urchristlichen Hoffnung vor der Integration der Vorstellung von der allgemeinen Auferweckung der Toten. Das Predigtschema zeigt nochmals besonders deutlich das Beharrungsvermögen der Grundelemente von den bis dahin beobachtbaren verschiedenen Explikationen von Hoffnung.

6. In 1 Thess 4,13ff werden von Paulus — erstmals in der Theologiegeschichte des Urchristentums und veranlaßt durch eine aktuelle Not der Gemeinde aufgrund erster Todesfälle in den eigenen Reihen — verstorbene Christen in die Hoffnung miteinbezogen. Die immer noch geltende Erwartung der nahen Parusie des Herrn wird nun erweitert um einen neuen Gesichtspunkt: Wie Gott Jesus auferweckte, so wird er auch die verstorbenen Christen bei der Parrusie auferwecken. Die Auferweckung ist eine Art Ausnahmeregelung, durch die gesichert wird, daß alle Christen gemeinsam beim Herrn sein können, wenn er kommt. Im übrigen bleibt die Hoffnung aus 1 Thess 1,9f voll erhalten.

7. Neben dieser für Paulus repräsentativen ersten Lösung der Todesproblematik entsteht im korinthischen Milieu aufgrund einer aus hellenistischen Voraussetzungen gebildeten Tauftheologie eine weitere Bearbeitung des Todesgeschicks: Taufe ist Anteilhabe an Tod und Auferstehung Christi. Der Getaufte ist somit schon auferstanden und partizipiert bereits am Herrschen des Erhöhten. So ist der Christ schon vor seinem Tod dem Tod enthoben. Er ist ihm gegenüber immunisiert worden. Dieses Konzept ist auf den einzelnen hin orientiert und bedarf im Prinzip keiner Ergänzung durch die traditionelle Parusieerwartung.

8. Paulus setzt sich 1 Kor 15 mit dieser Auffassung auseinander und muß dabei seine Ausführungen aus 1 Thess 4,13ff wandeln: Weil nun Tod und Vergänglichkeit als allgemeines Menschheitsschicksal gelten, deutet Paulus den Auferstandenen als zweiten Adam, in dem dieses Menschheitsproblem gelöst wird. Christus wird der »Erstling der Entschlafenen«. Dabei leistet diese Charak-

teristik zugleich, daß der Gegensatz zum korinthischen Enthusiasmus herausgearbeitet werden kann: Nur erst Christus als Erstling der Entschlafenen hat den Tod hinter sich, die Christen haben ihn trotz der Taufe noch vor sich. Zwischen jetzigem Leben und erhofftem ewigen Leben als Gabe Gottes besteht eine durch den Tod markierte Diskontinuität. Der Gott, der die Toten auferweckt, wird den Toten durch Neuschöpfung in der Gestalt von Auferstehung und Verwandlung ewiges Leben gewähren. Auch die Lebenden werden verwandelt.

9. Als »nachkorinthisch« wurde das Gemeindelied Phil 3,20f erkannt. Es zeichnet ein Bild der Hoffnung, in dem nun erstmals programmatisch in der Geschichte des Urchristentums Christus selbst der Verwandler ist. Die Verwandlung ist wie bei Paulus der Zukunft vorbehalten. Sie ist jedoch gewisse Hoffnung, weil dem Christen jetzt schon das Bürgerrecht in der himmlischen Welt zuerkannt ist.

10. Endlich zeigte das johanneische Material, wie in ihm noch Traditionen enthalten sind, die strukturell in ihrer Konzeption denen der ersten Generation glichen. Jedoch gehörte als neuer Ansatz schon zum Material, das der Evangelist vorfand, daß der Irdische als Epiphanie des Lebens und als Gesandter Lebensspender ist. Von dieser Christologie her war auch der Sakramentalismus der johanneischen Gemeinde bestimmt. Der Evangelist deutet das Kommen Jesu als seine Parusie, so daß sich im Glauben an ihn schon jetzt endgültig der Erwerb des ewigen Lebens ereignet. Der Erhöhte wird die Glaubenden bei ihrem je eigenen individuellen Tod zu sich in die postmortale Existenz ziehen. So vollendet sich das Heil jenseits von Schöpfung und apokalyptischer Endgeschichte.

Überblickt man diese thesenartigen Schlaglichter zum Thema der Auferstehung der Toten im Urchristentum, so kann man sie sicher — wie alle geschichtlichen Phänomene — unter verschiedenen Gesichtspunkten betrachten. Mir hat sich insbesondere einer, nämlich der des sich durchsetzenden Anspruchs auf Allgemeingültigkeit christlicher Hoffnung, als auffälliges Phänomen ergeben. Das sei wenigstens stichwortartig noch abschließend angedeutet: Die ersten frühchristlichen Zeugnisse leben im Kleingruppenhorizont jüdischchristlicher Partikularität. Mit Röm 1,3b-4 und 1 Thess 1,9f geschieht eine erste Ausweitung unter dem Gesichtspunkt der Adressaten, denn die Mission gerät nun unter weltweiten Horizont. Das christliche Heilsangebot geht also die Welt insgesamt an. In 1 Thess 4,13ff wird dann eine weitere bisher geschlossene Schranke geöffnet. Nicht nur die Lebenden dürfen Heil erwarten, vielmehr umfaßt christliches Heil auch die gestorbenen Christen. Der Tod des Hoffnungsträgers ist also nicht Realisationsbehinderung für das erhoffte Heil. 1 Kor 15 wird an diesem Thema weitergearbeitet. Das christliche Heilsangebot — so lautet nun der von Paulus vertretene Anspruch — löst generell die Todesproblematik, die eine schicksalhafte Signatur der gesamten Welt ist, überhaupt und allein. Die Menschheitsbegrenzung durch den Tod wird also durch die christliche Heilserwartung aufgehoben. Endlich zeigt der Evangelist des vierten Evangeliums als Vertreter der dritten Generation des Urchristentums, wie er, um nicht für eine begrenzte Tradition Partei zu ergreifen, die Aufgabe umfassender Integration vielfältiger und begrenzter Traditionen anpackt und sich dabei die Freiheit zur radikalen Neufassung nimmt. Praktisch redet er damit der Transformation von Heilsaussagen aus ihrer weltbildhaften Verhaftung und Begrenzung in neue Funktionszusammenhänge das Wort. Er thematisiert darin den Anspruch auf Allgemeingültigkeit, indem er so jeder Generation den Weg eröffnet zu genereller kritischer Interpretation und Aneignung christlicher Tradition.

Überblickt man diese aufgewiesene Linie urchristlicher Entwicklung, wird hoffentlich beispielhaft deutlich, wie sinnvoll es ist, nicht nur um der Aufhellung der Historie willen das Urchristentum theologiegeschichtlich zu betrachten. Mir selbst wird an solchen Exempeln zugleich klar, wie eine Exegese, die zum Beispiel 1 Kor 15 nur als Momentaufnahme eines Gespräches zwischen Paulus und seiner Gemeinde darstellt, eine ganze Dimension — nämlich die umfassende theologiegeschichtliche Betrachtung — ausklammert, und zwar zum Schaden des Verständnisses der 1 Kor 15 verhandelten Thematik. Zugleich hege ich die Hoffnung, daß Prediger und Lehrer durch solche theologiegeschichtliche Anordnung der Belege zum selben Problemfeld diese Stellen transparenter machen können für heutige Todesproblematik.

Literaturverzeichnis

(Lexikonartikel u. ä. erscheinen nur in den Anmerkungen.)

Abkürzungen nach dem Internationalen Abkürzungsverzeichnis für Theologie und Grenzgebiete, hrsg. v. S. Schwertner, Berlin - New York 1974.

Aune D. E., The Cultic Setting of Realized Eschatology in Early Christianity (NT.S 28) Leiden 1972.

Becker H., Die Reden des Johannesevangeliums und der Stil der gnostischen Offenbarungsrede (FRLANT 68) Göttingen 1956.

Becker J., Wunder und Christologie: NTS 16 (1969/70) 130-148.

— Die Abschiedsreden im Johannesevangelium: ZNW 61 (1970) 215-246.

— Erwägungen zur apokalyptischen Tradition in der paulinischen Theologie: EvTh 30 (1970) 393-609.

— Erwägungen zu Phil 3,20-21: ThZ 27 (1971) 16-29.

— Johannes der Täufer und Jesus von Nazareth (BSt 63) Neukirchen-Vluyn 1972.

— J 3,1-21 als Reflex johanneischer Schuldiskussion, in: Das Wort und die Wörter (Festschrift G. Friedrich) hrsg. v. *H. Balz* und *S. Schulz*, Stuttgart - Berlin - Köln - Mainz 1973, 85-95.

— Beobachtungen zum johanneischen Dualismus: ZNW 65 (1974) 71-87.

— Das Gottesbild Jesu und die älteste Auslegung von Ostern, in: Jesus Christus in Historie und Theologie (Festschrift H. Conzelmann) hrsg. v. *G. Strecker*, Tübingen 1975, 105-126.

— Der Brief an die Galater, in: Die kleineren Briefe des Apostels Paulus (NTD 8) Göttingen 1976.

Berger K., Die königliche Messiastradition des Neuen Testaments: NTS 20 (1974/75) 1-44.

Betz H. D., Geist, Freiheit und Gesetz: ZThK 71 (1974) 78-93.

Betz O., What Do We Know About Jesus?, London 1968.

Blank J., Krisis, Freiburg 1964.

— Paulus und Jesus (StANT 18) München 1968.

Bousset W. — Greßmann H., Die Religion des Judentums im späthellenistischen Zeitalter (HNT 21) Tübingen ⁴1966.

Brandenburger E., Die Auferstehung der Glaubenden als historisches und theologisches Problem: WuD 9 (1967) 16-33.

— Adam und Christus (WMANT 7) Neukirchen-Vluyn 1972.

— Frieden im Neuen Testament, Gütersloh 1973.

Bultmann R., Das Evangelium des Johannes (KEK) Göttingen ¹⁵1968.

— Die Geschichte der synoptischen Tradition, Göttingen ⁸1970.

Burger Chr., Jesus als Davidsohn (FRLANT 98) Göttingen 1970.

Bussmann C., Themen der paulinischen Missionspredigt auf dem Hintergrund der spätjüdisch-hellenistischen Missionsliteratur (EHS.T 3) Bern 1971.

Campenhausen H. v., Die Idee des Martyriums in der alten Kirche, Tübingen ²1964.

Cavallin H. C. C., Life after Death (CB.NT VII/1) Lund 1973.

Conzelmann H., Der Erste Brief an die Korinther (KEK) Göttingen 1969.

Cullmann O., Unsterblichkeit der Seele oder Auferstehung der Toten?, Stuttgart 1962.

Dibelius M., An die Philipper (HNT 11) Tübingen ³1937.

Evans C. F., Resurrection and the New Testament (SBT 2.Ser. 12) London 1970.

Friedrich G., Ein Tauflied hellenistischer Judenchristen: ThZ 21 (1965) 502-516.

— Die Auferweckung Jesu, eine Tat Gottes oder ein Interpretament der Jünger?: KuD 17 (1971) 153-187.

Gäumann N., Taufe und Ethik (BEvTh 47) München 1967.

Gnilka J., Der Philipperbrief (HThK X/3) Freiburg - Basel - Wien 1968.

Gräßer E., Kolosser 3,1-4 als Beispiel einer Interpretation secundum homines recipientes, in: *ders.*, Text und Situation, Gütersloh 1973, 123-151.

Gülzow H., Christentum und Sklaverei in den ersten drei Jahrhunderten, Bonn 1969.

Güttgemanns E., Der leidende Apostel und sein Herr (FRLANT 90) Göttingen 1966.

Hahn F., Christologische Hoheitstitel (FRLANT 83) Göttingen ³1966.

Harnisch W., Eschatologische Existenz (FRLANT 110) Göttingen 1973.

Hengel M., Der Sohn Gottes, Tübingen 1975.

Hennecken B., Verkündigung und Prophetie im Ersten Thessalonicherbrief (SBS 29) Stuttgart 1969.

Hoffmann P., Die Toten in Christus (NTA NS 2) Münster 1966, ²1969.

Hofius O., Eine altjüdische Parallele zu Röm 4,17b: NTS 18 (1971/72) 93f.

Hunzinger C.-H., Die Hoffnung angesichts des Todes im Wandel der paulinischen Aussagen, in: Leben angesichts des Todes (Festschrift H. Thielicke) hrsg. v. *B. Lohse* und *H. P. Schmidt*, Tübingen 1968, 69-88.

Jeremias J., »Flesh and Blood cannot inherit the Kingdom of God« (I Cor XV.50), in: *ders.*, Abba, Göttingen 1966, 298-307.

Kabisch R., Die Eschatologie des Paulus, Göttingen 1893.

Käsemann E., Jesu letzter Wille nach Johannes 17, Tübingen 1966.

— An die Römer (HNT 8a) Tübingen ²1974.

Kasting H., Die Anfänge der urchristlichen Mission (BEvTh 55) München 1969.

Kattenbusch F., Der Märtyrertod: ZNW 4 (1903) 111-127.

Kegel G., Auferstehung Jesu — Auferstehung der Toten, Gütersloh 1970.

Klein G., Apokalyptische Naherwartung bei Paulus, in: Neues Testament und christliche Existenz (Festschrift H. Braun) hrsg. v. *H. D. Betz* und *L. Schottroff*, Tübingen 1973, 241-262.

Kramer W., Christos, Kyrios, Gottessohn (AThANT 44) Zürich 1963.

Kümmel W. G., Einleitung in das Neue Testament, Heidelberg ¹⁷1973.

Kuhn H. W., Enderwartung und gegenwärtiges Heil (StUNT 4) Göttingen 1966.

— Jesus als Gekreuzigter in der frühchristlichen Verkündigung: ZThK 72 (1975) 1-46.

Linnemann E., Tradition und Interpretation in Röm 1,3f: EvTh 31 (1971) 264-278.

Lohmeyer E., Die Briefe an die Philipper, an die Kolosser und an Philemon (KEK) Göttingen ¹¹1956.

Lohse E., Taufe und Rechtfertigung bei Paulus: KuD 11 (1965) 308-324.

Luz U., Das Geschichtsverständnis des Paulus (BEvTh 49) München 1968.

Marxsen W., Auslegung von 1. Thess 4,13-18: ZThK 66 (1969) 22-37.

Müller U. B., Messias und Menschensohn in jüdischen Apokalypsen und in der Offenbarung des Johannes (StNT 6) Gütersloh 1972.

— Prophetie und Predigt im Neuen Testament (StNT 10) Gütersloh 1975.

— Die Geschichte der Christologie in der johanneischen Gemeinde (SBS 77) Stuttgart 1975.

Osten-Sacken P. v. d., Die Apologie des paulinischen Apostolats in 1. Kor 15,1-11: ZNW 64 (1973) 245-262.

— Römer 8 als Beispiel paulinischer Soteriologie (FRLANT 112) Göttingen 1975.

Pesch R., Tod und Auferstehung, in: Kontinuität in Jesus, hrsg. v. R. Pesch und H. A. Zwergel, Freiburg - Basel - Wien 1974, 35-72.

Peterson E., Die Einholung des Kyrios: ZSTh 7 (1930) 683-702.

Rissi M., Die Taufe für die Toten (AThANT 42) Zürich 1962.

Schenke H.-M., Der Gott »Mensch« in der Gnosis, Göttingen 1962.

Schlier H., Zu Röm 1,3f, in: Neues Testament und Geschichte (Festschrift O. Cullmann) hrsg. v. H. Baltensweiler und B. Reicke, Zürich - Tübingen 1972, 207-218.

Schmithals W., Die Gnosis in Korinth (FRLANT 66) Göttingen ²1965.

Schmitt A., Entrückung — Aufnahme — Himmelfahrt (FzB X) Stuttgart 1973.

Schnackenburg R., Das Johannesevangelium (HThK IV/1) Freiburg - Basel - Wien 1965, (IV/2) 1971.

Schniewind J., Die Leugner der Auferstehung in Korinth, in: ders., Nachgelassene Reden und Aufsätze, Berlin 1952, 110-139.

Schottroff L., Heil als innerweltliche Entweltlichung: NT 11 (1969) 294-317.

— Der Glaubende und die feindliche Welt (WMANT 37) Neukirchen-Vluyn 1970.

Schürer E., Geschichte des jüdischen Volkes im Zeitalter Jesu Christi, Leipzig ⁴1907.

Schulz S., Untersuchungen zur Menschensohn-Christologie im Johannesevangelium, Göttingen 1957.

Schweitzer A., Die Mystik des Apostels Paulus, Tübingen 1930.

Schweizer E., Röm 1,3f und der Gegensatz von Fleisch und Geist vor und bei Paulus, in: *ders.*, Neotestamentica, Zürich - Stuttgart 1963, 100-104.

— Zur Herkunft der Präexistenzvorstellung bei Paulus, in: *ders.*, Neotestamentica, Zürich - Stuttgart 1963, 105-109.

— Zum religionsgeschichtlichen Hintergrund der »Sendeformel«, in: *ders.*, Beiträge zur Theologie des Neuen Testaments, Zürich - Stuttgart 1970, 83-95.

Siber P., Mit Christus leben (AThANT 61) Zürich 1971.

Sider R. J., The Pauline Conception of the Resurrection Body in I Corinthians XV 35-54: NTS 21 (1975) 428-439.

Spörlein B., Die Leugnung der Auferstehung, Regensburg 1971.

Stuhlmacher P., Das paulinische Evangelium (FRLANT 95) Göttingen ²1963.

— Theologische Probleme des Römerbriefpräskripts: EvTh 27 (1967) 374-389.

Stuiber A., Refrigerium Interim: Theoph. 11 (1957) 74-83.

Wagner G., Das religionsgeschichtliche Problem von Römer 6,1-11 (AThANT 39) Zürich 1962.

Wasznik J. H., Q. S. F. Tertulliani, De Anima, Leiden 1947.

Wegenast K., Das Verständnis der Tradition bei Paulus und in den Deuteropaulinen (WMANT 8) Neukirchen-Vluyn 1962.

Wengst K., Christologische Lieder des Urchristentums (StUNT 7) Gütersloh 1972.

Wilcke H.-A., Das Problem eines messianischen Zwischenreiches bei Paulus (AThANT 51) Zürich 1967.

Wilckens U., Die Missionsreden der Apostelgeschichte (WMANT 5) Neukirchen-Vluyn ²1963.

NACHTRAG

Während der Drucklegung erschienen, so daß sie keine Berücksichtigung mehr finden konnten:

Richter G., Präsentische und futurische Eschatologie im 4. Evangelium, in: Gegenwart und kommendes Reich (Schülergabe A. Vögtle) hrsg. von *P. Fiedler* und *D. Zeller* (SBB) Stuttgart 1975, 117ff.

Schnackenburg R., Das Johannesevangelium (HThK IV/3) Freiburg-Basel-Wien 1975.

Wilckens U., Christus, der »letzte Adam«, und der Menschensohn, in: Jesus und der Menschensohn (Festschrift A. Vögtle) hrsg. von *R. Pesch* und *R. Schnackenburg*, Freiburg-Basel-Wien 1975, 387ff.

NEUTESTAMENTLICHES STELLENREGISTER

Mt
3,7   *122*
5,20   *97*
8,11f   *12*
18,9   *135*
24,31   *51* Anm. *10*
25,31ff   *144*
28,18   *121*

Mk
6,14   *24*
9,9f   *24*
9,43-48   *12*
9,43-47   *137*
10,15   *12.97.135*
10,25   *12*
12,18-27   *12* Anm. *2*
12,26f   *49* Anm. *6*

Lk
3,7-9   *11*
3,8   *11*
3,16f   *11*
4,14   *23*
10,13-15   *13*
11,31f   *13*
12,8f   *12.123*
13,1-5   *12*
13,28f   *12*
16,31   *24*
17,22-37   *12*
17,26ff   *12*

Joh
1,1f   *147*
1,11   *147*
1,13   *136*
1,14   *130.131.147.148*
1,16   *130.131.147.148*
1,18   *145.148*
1,50   *126*
2,13ff   *147*

Joh
2,18ff   *147*
2,22   *24*
3   *121.122.135.*
    135 Anm. *16.136.*
    137.147
3,3   *40.97.123.135.136*
3,5-8   *121*
3,5   *40.97.135.136.*
    137.138.139.140
3,6   *136*
3,12ff   *121.122.141*
3,12   *107*
3,13f   *121*
3,14ff   *137*
3,15ff   *144*
3,16   *145*
3,17ff   *121.141*
3,17f   *141.142*
3,17   *132*
3,19   *132* Anm.*12*
3,31f   *145*
3,31   *132* Anm. *12*
3,32f   *121*
3,33   *131*
3,34   *121* Anm. *4*
3,35f   *120.121.122.*
    123.124.125.126.
    127.128.135
3,35   *121* Anm. *4.124*
3,36   *123*
4,14   *134*
5   *125* Anm. *6.129.144*
5,17f   *124*
5,18   *125.126*
5,19ff   *135.143*
5,19-30   *125-128*
5,19-23   *124*
5,21   *49* Anm. *6*
5,24ff   *121.141.142*
5,24-27   *140*
5,24f   *122*

Joh
5,24   *63.144.145*
5,25   *146*
5,26   *139.145*
5,27   *142*
5,28f   *143.144.145*
5,29f   *125*
5,31ff   *147*
5,31-47   *125*
5,36   *126*
5,37   *145.148*
5,43   *132* Anm. *12*
6   *131.137.138.143*
6,35   *131*
6,39f   *140*
6,40   *131*
6,42   *148*
6,44   *140*
6,50a   *134*
6,51c-58   *138-140*
6,54   *128*
6,60ff   *122.141*
6,63   *137*
7,27f   *132* Anm. *12*
7,39   *121*
7,42   *25*
8,24   *134*
8,51f   *134*
8,56ff   *148*
10,10   *132* Anm. *12*
11,23-26   *140*
11,24ff   *141.142.143*
11,25f   *141.145.*
    146.147
11,25   *124*
11,27   *132*
12,1   *24*
12,9   *24*
12,17   *24*
12,20ff   *122.141*
12,31ff   *122*
12,31f   *141*